수석교사가 콕콕 집어주는
자기 주도적인 아이로 키우는 법

부모님, 선생님께 드리는 - 유아부터 초등학생 교육도서

방글방글 학교생활

엄마 아빠 선생님, 이렇게 도와주세요.

방글방글 학교생활

발　　행 | 2024년 01월 25일
저　　자 | 양희순
펴낸이 | 한건희
펴낸곳 | 주식회사 부크크
출판사등록 | 2014.07.15.(제2014-16호)
주　　소 | 서울특별시 금천구 가산디지털1로 119 SK트윈타워 A동 305호
전　　화 | 1670-8316
이메일 | info@bookk.co.kr

ISBN | 979-11-410-6771-7

www.bookk.co.kr
방글방글 학교생활 양희순 2024

수석교사가 콕콕 집어주는
자기 주도적인 아이로 키우는 법

부모님, 선생님께 드리는 - 유아부터 초등학생 교육도서

방글방글 학교생활

양희순 지음

〈 차 례 〉

"우리 아이, 학교생활 이렇게 도와주세요!"

37년 차 초등학교 현장에서 본 우리 아이들 이야기와 부모님이 어떻게 자녀의 학교생활을 도와줘야 할지 이 책에 담았습니다. 부모에게 가장 중요하면서 보람된 일은 자녀를 잘 키우는 일입니다. 자녀가 학교에서 친구들과 잘 어울리고 배움에 집중할 수 있도록 부모님과 선생님은 무엇을 어떻게 도와줘야 할지 생각했던 것들을 글로 썼습니다.

"자녀 나이에 맞는 내용과 방법으로 교육해야 합니다!"

부모는 자녀가 0세이면 0세에 맞는 교육을, 자녀가 만 6세가 되면 만 6세에 맞는 자녀교육을 해야 합니다. 또 자녀가 사춘기를 맞이하면 사춘기에 맞는 교육을 해야 합니다. 부모는 자녀가 커감에 따라 자녀를 교육하는 내용과 방법이 달라져야 합니다. 자녀의 학교생활에 대하여 가장 잘 알고 있는 담임선생님과 협력하는 것도 필수입니다. 유아부터 초등학교 자녀를 두신 부모님과 선생님이 읽고 협력하여 **반듯하고 자기 주도적이며 행복한 아이로** 자랐으면 좋겠습니다.

1장 우리 아이는

1. 초등학교 아이는

1학년부터 6학년까지
아이들은 이런 특성을 보인답니다.

01. 병아리 같은 1학년

1학년 아이들은 엄마 닭을 따라 단체로 삐약거리며 세상을 배우는 병아리 같습니다. 아직은 자기중심적이어서 모든 것이 서툴고 싸움도 자주 하지만 호기심이 많고 모방도 잘하며 여러 질문이 쏟아지는 시기입니다.

자유롭게 활동했던 유치원과 다르게 규범을 지키고, 공부에 전념해야 해서 몸과 마음이 힘들 수 있습니다. 특히 입학 직후에는 부모님께서 내 아이가 학교생활에 잘 적응하고 있는지 물어보고 세심하게 보살펴 주어야 합니다.

담임선생님께서도 학생 한 명 한 명 면밀하게 살펴서 입학 적응에 어려움이 있으면 부모님과 상담을 통해서 부모님께서 도와줄 부분, 선생님께서 지원해 줄 부분을 서로 공조하고 적극적으로 협력해서 즐거운 학교생활을 시작하도록 합니다.

☺ 좋은 모범을 보여서 아이가 모방하도록 합니다.
☺ 아이가 긍정적인 자아감이 형성되도록 도와줍니다.

✲ 1학년 심리

무엇이든 친구들보다 먼저 하고 싶어 하고 자꾸 같은 내용을 물어보는 것은 인정욕구가 강해서 그렇습니다. 아이가 잘 해내는 부분에 대해서 보상보다는 충분한 칭찬을 해주고, 어려움에 처해 있는 문제는 해결할 수 있도록 도와주어서 긍정적인 자아감 형성에 도움을 줍니다. 시간 개념과 사실과 상상한 것을 명확히 구분하지 못하다 보니 본의 아니게 거짓말을 하기도 하고, 친구들을 반복적으로 이르는 경우가 많습니다.

✽ 1학년 신체

이갈이가 활발하고, 소근육과 균형감이 발달하기 시작하는 시기로 힘이 없어서 잘 넘어지고 아직은 자기방어가 힘듭니다. 손과 발의 협응이 활발하게 발달하기 시작하는 시기이므로 이에 알맞은 신체활동을 하게 합니다.

✽ 1학년 인지

마음에 드는 동화책이나 애니메이션을 반복하여 보고, 이야기 듣기를 좋아하고 자신과 관련된 이야기이면 적극적으로 말합니다. 또 무엇이든 상상하기를 좋아합니다. 그러나 사물의 크기에 대한 시각적 감각이 미흡한 시기입니다.

☞ 이렇게 도와주세요.

📖 심리
거짓말이라고 다그치지 말고 이야기를 충분히 들어주고 질문을 통하여 현실과 상상을 구분해 줍니다. 친구가 책을 펴지 않는다고 이르면 이르지 말고 '친구야 국어책 ○○쪽 펴봐, 이렇게 말하는 거야.'라고 알려줍니다.

📖 신체
가위질, 끈 꿰기, 달리기, 균형잡기, 오래 버티기 같은 몸 활동을 하게 해서 소근육, 균형감, 손과 발의 협응을 길러 줍니다.

📖 인지
공부라는 말은 빼고, 자연스럽게 배우는 재미를 느끼도록 놀이등을 적용하여 아이가 눈치채지 못하게 도와줍니다.
받아올림과 받아내림이 있는 덧셈과 뺄셈을 완벽하게 도와주지 않으면 여기서부터 수학 부진이 발생하게 됩니다.

⇨ 스스로 체크 (1학년)

02. 자신감 있는 2학년

2학년 아이들은 공동체 약속을 제법 잘 지키고 학교생활에 익숙해져서 의젓한 학생 모습을 자주 볼 수 있습니다. 이때부터 친구에 대한 개념이 자라서 친한 친구, 호감가는 친구에게 무조건 잘해 주는 모습을 보이고 따돌리는 현상이 나타나기 시작합니다. 우는 아이가 점차 줄어들면서 자신의 상황을 문장으로 설명합니다. 친구 문제가 발생하면 어른이 개입하지 않아도 자기들끼리 해결하는 능력이 생깁니다. 감정 표현이 서툴러서 몸싸움이 일어나기도 하는데 마음을 표현하는 방법도 자세하게 알려줘야 합니다.

아직 학습에 대한 집중력이 짧아서 중요한 내용은 끊어서 지도하는 것이 좋습니다. 또 여럿이 함께 어울려 놀이하는 것을 좋아하고 즐거워하는 시기이므로 가정과 학교에서 놀이학습을 적용하면 효과적입니다.

칭찬할 때는 풍부하게 표현하여 자존감을 높여줍니다. 자아 개념이 1학년 때보다 발달해서 꾸중을 하면 수치심을 느낄 줄 압니다. 무엇을 잘못해서 꾸중을 듣는지 그 이유와 개선할 내용을 명확하게 알려주도록 합니다.

하루에 한 번은 신체활동 기회를 만들어 줍니다. 소근육이 야물어지고 신체적 에너지가 넘치기 시작하는 시기로 에너지를 발산하고 체력을 기를 수 있도록 합니다.

☺ 놀이나 신체활동으로 에너지 발산을 돕습니다.
☺ 감정 표현하는 방법을 자세하게 가르쳐 줍니다.

✽ 2학년 심리
인정욕구가 커지는 시기로 부모님과 선생님께서 인정해 주기를 바라는 마음으로 노력하는 모습을 보입니다. 1학년 때 와 같이 풍성하게 구체적으로 칭찬해 주고, 노력하는 부분을 인정해 주면 학습과 관계 발전에 무척 효과적입니다. 또 부모님께서 일하느라 보살펴 주는 시간이 부족하면 불안하거나 민감하여 스트레스를 받습니다. 부모님의 돌봄이 부족할수록 담임선생님께 바라는 인정욕구는 비례합니다.

✽ 2학년 신체
손동작이 빨라지고 몸 움직이는 것을 좋아합니다. 제법 먼 거리도 잘 걷고 어려운 색칠, 가위질도 잘 해내기 시작하고 눈과 손 협응이 제법 발달하여 악기 연주에 흥미와 자신이 생깁니다.

✽ 2학년 인지
학습에 대한 능력과 집중력에 개인차가 심하게 나타나기 시삭하므로 내 아이 상태를 알아보고 맞춤형으로 대처해야 합니다. 또 무엇이든 상상하기를 좋아하나 사물의 크기에 대한 시각적 감각이 미흡한 시기입니다. 1~2학년 때 어려운 학습이 있다면 반드시 부진한 요인을 해소해 주도록 합니다.

☞ 이렇게 도와주세요.

📖 심리

자신이 잘하는 것을 부모님이 학교에 와서 알아주기를 가장 바라는 학년이어서 칭찬과 인정하는 말의 효과가 큽니다. 1학년 때 보다 더 구체적인 상상의 세계에 빠져 있어서 악당과 영웅 놀이를 하게 하면 도움이 됩니다.

📖 신체

달리기, 색칠하기, 오리기, 실로폰 치기 등을 통해 집중력, 학습력, 에너지 발산을 도와줍니다. 몸싸움이 발생하지 않도록 감정을 자세하게 표현하는 법도 알려줍니다.

📖 인지

놀이에 규칙을 지켜서 하나 결과에 민감하므로 결과보다는 참여하는 것의 소중함과 과정을 통해 무엇을 잘할 수 있게 되는지 알려줍니다. 작품 활동을 좋아하고 자기 작품에 자부심이 생기는 시기라서 게시해 주면 좋습니다.

03. 스펀지 같은 3학년

3학년 아이들은 속속 스며드는 스펀지처럼 알려주는 대로 바로바로 배웁니다. 저의 경험은 3학년 담임했을 때가 가장 인상적이고 좋은 기억으로 남아 있습니다. 2학년 때부터 싹트기 시작한 또래 집단, 공동체 생활에 대한 규범과 질서를 이해하고 역할이나 협동에 대한 상황을 알고 제법 협력하게 됩니다. 남학생과 여학생끼리 구분하여 놀기 시작하고 경쟁에 대한 의욕도 생겨서 우리 모둠이나 우리 반이 경기에 이겼으면 하고 적극적으로 바랍니다.

친구를 이르면 관계가 나빠질 수 있음을 알기 때문에 이르는 횟수가 줄어들기 시작합니다. 이때부터 또래 집단이 강하게 나타나서 좋아하는 친구들과 어울려 다녀야 안심하고 그렇지 못하면 몹시 불안해합니다.

학습에 대한 집중력에 많은 향상을 보이나 과목이 많아지고 어려워져서 아이들의 개별학습에 대한 차이가 드러납니다. 학습이 부진한 아이들은 무척 괴로운 학교생활로 접어드는 시기가 됩니다. 1~2학년에서 챙기지 못하여 친구 관계나 학습 부진이 발생했다면 부모님께서는 담임선생님과 상담을 통하여 특히 신경 써서 지도하고 도와주어야 합니다. 이 시기에 사회성과 학습 역량을 회복하지 않으면 돌이킬 수 없기 때문입니다.

☺ 체험활동은 감성을 풍부하게 자라도록 해줍니다.

☺ 친구 관계와 학습 부진에 대한 점검이 필요합니다.

✽ 3학년 심리

시기와 질투가 싹트기 시작하여 다른 친구가 인정받으면 샘을 내고 자신만 인정받기를 바라는 나이입니다. 여학생들은 아름다운 외모에 관심을 두기 시작하고, 남학생들은 축구나 공격적인 게임에 대해 관심과 즐거움을 느끼게 됩니다.

이성에 대해 눈을 뜨기 시작하며 관심을 가지기 시작하고 새로운 일이 생기면 피하지 않고 해보고 싶어 하는 때입니다.

✽ 3학년 신체

키 차이와 몸무게 차이가 벌어지게 되어 표준이 아닌 경우 스트레스 요인이 됩니다. 비만아의 경우 마음이 위축되고 자신감을 잃을 수 있어서 특히 비만이 되지 않도록 관리해 주어야 합니다. 대근육 놀이는 전체적으로 잘하나 아직도 소근육 활동에서 어려움을 겪는 아이들이 있을 수 있습니다.

✽ 3학년 인지

관찰하는 능력과 힘이 생기고 소근육도 발달해서 꽃이나 나무 주변 사물을 정확하게 그리는 편입니다.

글씨를 빨리 쓰는 경향이 있어서 글자 하나하나 순서에 맞게 공

들여 쓰도록 지도하고, 반복하여 고쳐 쓰도록 합니다.

지리적 공간 개념이 미흡한 시기라서 자주 다녀본 곳과 학교를 제외하고 전체적인 공간 파악이 안 되기도 합니다. 제법 집중력도 있고, 새롭게 배운 내용에 대한 즐거움과 배우고자 하는 열정이 싹트는 시기입니다.

☞ **이렇게 도와주세요.**

📖 **심리**

자신만 인정받고 싶어 하는 시기이므로 충분히 칭찬해 주고, 서로서로 다 함께 인정하는 분위기를 만듭니다. 좋아하는 이성에 대해 집착하지 않도록 사람은 누구나 귀하고 잘하는 점이 있으니 전체 학생과 잘 어울려 지내도록 교육합니다.

📖 **신체**

음식을 정해진 시간에 골고루 먹게 하고, 하루에 한 차례 몸을 움직이거나 걷게 하여 비만을 예방해 줍니다. 소근육 발달이 느린 아이는 종이접기, 안전 가위로 오리기, 색칠하기, 공 잡기, 걷기 등을 가볍게 꾸준히 시킵니다.

📖 **인지**

3학년은 학습 부진에서 벗어날 수 있는 골든아워 시기입니다. 아이가 학교에서 잘하고 있겠거니 짐작하지 말고, 교과서도 열어

보고 배운 내용을 잘 푸는지 문제를 내어 확인하기를 바랍니다. 아이에게 부진한 교과가 있다면 잘 도와주어서 구제해 주어야 합니다. 구제되지 않으면 매일매일 긴 수업 시간을 지루하고 힘들게 보내고 스스로 위축되어 자존감이 바닥에 떨어집니다.

⇨ 스스로 체크 (2학년)

⇨ 스스로 체크 (3학년)

04. 사춘기 시작 4학년

4학년 아이들은 말하면 이해도 잘하고 어른들 말도 잘 들어서 가장 편안한 학년이라고 말합니다. 그러나 학습 내용이 어려워지고 분량이 많아져서 힘들어하거나 포기하는 아이들이 생겨나기 시작합니다. 학습적인 면과 신체적인 면에서 점점 개인차가 커지고, 자아에 대한 개념이 발달하는 중요한 시기라는 것을 간과해서는 안 됩니다.

4학년 즈음 비판적 사고가 형성되기 시작하므로 아이의 생각을 들어주고 아이가 결정하도록 판단하는 힘을 키워 줘야 합니다. 또래에 대한 강한 집착을 보여서 좋아하는 소수의 친구와 지내려고 하는 경향이 있어서 다른 친구들과도 어울리도록 해줄 필요가 있습니다.

여자, 남자 성징 발현 시기여서 부모님과 선생님은 미리미리 알려주어서 당황하지 않고 자연스럽게 받아들이도록 해야 합니다. 또 이성에 대한 감정 표현을 하게 되면서 겉모습 꾸미는 일에 신경 쓰기도 합니다.

4학년은 만 9세가 되면서 자기중심적이던 사고에서 객관적 사고로 발달하고 다른 사람의 상황을 이해하기 시작합니다. 여자아이들은 초경을 시작하는 아이들이 생기기 시작하고 남자아이들은 누가 더 센지 파악하여 본능적으로 또는 맞짱 떠서 서

열이 정해지기도 합니다.

> ☺ 아이 몸과 마음이 함께 성장할 수 있도록 합니다.
> ☺ 아이 학습 점검이 필요하며 무기력을 예방합니다.

✤ 4학년 심리

2학기가 되면 대부분 아이가 짜증이 늘고 부모와 싸우며 스스로 사춘기가 왔음을 인지합니다. 자아가 형성되면서 작은 일에도 지는 것이 싫고 자존심과 경쟁의식이 커집니다. 새로운 일이 생기면 피하지 않고 의욕적으로 해보고 싶어 하는 때입니다. 친한 친구 몇 명과 늘 함께하고 싶어 하지만 다른 친구들에게는 배타적인 태도를 보입니다. 또 이성에 대해 눈뜨는 시기로 이성 친구에게 관심을 가지기도 하고 이성 친구의 관심 받기를 바라기도 합니다.

✤ 4학년 신체

사춘기가 시작되면서 여자아이들이 남자아이들보다 신체적인 면에서 덩치가 커지고 더 어른스럽게 행동합니다. 가슴이 나오기 시작하면서 초경을 시작하는 아이들이 나타납니다. 남자아이들은 발목과 무릎에 성장통을 앓는 아이들이 생기고 조금씩 변성기가 시작됩니다. 신체가 큰아이들과 신체가 작은 아이들의 차이가 크게 벌어지기도 합니다.

✱ 4학년 인지

아이들마다 좋아하는 과목과 싫어하는 과목이 분명해져서 부진 과목이 발생하고, 배타 과목도 뚜렷해집니다.

역사의식이나 비판하는 능력이 발전하여 토의가 활발해지고 정의롭지 못하다는 생각이 들면 흥분하여 표출합니다.

본인이 관심 있는 영역에 대하여 스스로 광범위하게 조사하는 모습을 보이는 반면, 학습에 개인차가 심하고 무기력한 아이들이 늘어나는 시기입니다.

☞ 이렇게 도와주세요.

📖 심리

어른들에 대한 반항과 비판이 싹트는 시기이므로 무시당한다는 느낌이 들지 않도록 부모님은 물건을 사줄 때나 어떤 일을 결정할 때 아이의 의견과 생각을 존중하여 결정합니다. 남들과 비교하여 말하지 말고, 아이 자체로 존중해 주고 바람직한 자존심이 형성되고 자존감이 높아지도록 도와줍니다.

📖 신체

2학기가 되면 덩치가 큰 여학생들 대부분 초경을 하게 되고 가슴도 제법 나옵니다. 처음 생리가 왔을 때 당황하고 놀라지 않도록 미리 알려주고 생리 팬티와 생리대 착용하는 방법, 처리하는 과정을 자세하게 연습해 줍니다. 남자아이들도 변성기가 오면서 위축될 수 있으므로 미리 성교육을 시행하고, 힘이 없는 친구나 마음에 들지 않는 친구를 무시하지 않도록 친구는 동등한 관계임을 알려주고, 존중하여 대해 주라고 알려줍니다.

📖 인지

아이가 관심 있는 과목이나 영역에 탐구심이 몰라보게 확장되는 시기이므로 자기 주도적 학습 습관에 효과적인 학년입니다. 수학, 국어처럼 계열 있는 과목에서 포기나 무기력 증상이 나타나므로 관심을 가지고 대처해야 합니다.
점점 어려워지는 학습에 보탬이 되도록 다양한 책을 꾸준하게 읽을 수 있는 환경을 만들어 줍니다.

⇨ 스스로 체크 (4학년)

05. 정의감 있는 5학년

5학년 아이들은 제법 어른과 대화하듯 말이 통하고 학습도 집중하나 6학년 선배들 눈치를 가장 많이 보는 학년입니다. 5학년 역시 학습 내용이 어렵고 분량이 많아서 힘들어하는 점은 같은데, 부진 학생이 확연하게 드러나서 본인도 위축되어 있습니다. 또 자신이 어렵거나 모르는 학습 내용에 관해서 물어보는 것을 꺼리는 경향이 있습니다. 사회적인 문제나 불의를 보면 정의감에 불타고, 아직은 순수한 태도를 보이는 시기입니다.

5학년은 어울리는 또래 관계나 소수 집단이 뚜렷해져서 다른 집단으로부터 따돌림당할까 두려워합니다. 실제로 온라인과 오프라인에서 뒷담화하고 왕따가 일어나는 빈도가 가장 많은 학년입니다. 6학년이 있어서 조심스럽지만, 은근히 선배 대접받기를 바라면서 6학년 형들로부터 찍힐까봐 불안한 마음 때문에 노골적으로 조심하기도 합니다.

저학년에서 논리 없이 떼를 쓰는 것과 다르게 5학년 아이들은 논리와 반박, 반론을 근거로 부모님께 말대꾸를 해서 부모와 잦은 마찰이 일어나기도 합니다.

우리 반에 대한 소속감이나 공동체 생활에 대한 정의감이 커지는 시기여서 학급 대항 경기에서 지면 무척 억울해하고 다시 겨루자고 서슴없이 도전하는 학년입니다.

☺ 사춘기 변화는 자연스러운 현상임을 알려줍니다.
☺ <u>스스로 학습하는 습관과 힘을 길러 주도록 합니다.</u>

✣ 5학년 심리

고민이 많아지고 고민에 대하여 어른들에게 말하지 않는 경향이 있습니다. 감정 조절이 잘 안 되어 갑자기 화를 내거나 화내는 횟수가 많아집니다. 친구의 가정과 자신의 가정을 비교하여 우월감과 또는 위축감을 가지며 불리한 경우에는 가족 구성원에 대하여 말하기를 꺼립니다.

5학년은 호감이 가는 이성에게 적극적으로 표현할 줄 알고, 좋아하는 이성 친구가 같은 반에 있으면 학교생활이 확 달라지기도 합니다. 크리스마스 같은 날 선물을 준다든지 하면서 좋아한다고 표현하기도 합니다. 여자아이들은 작고 귀염성 있는 미소년 스타일의 남학생에게 끌리기도 합니다.

✣ 5학년 신체

폭풍처럼 급격한 신체 변화에 대한 적응이 힘들고 남학생과 여학생의 운동 능력 차이가 벌어지기 시작하여 점차 같이할 수 있는 종목이 줄어듭니다. 신체에 불만족이 있는 아이들은 자신감이 떨어지고 고민이 많으며 뚱뚱하거나 작아도 심려가 큽니다. 2학기에 대부분 생리를 하고 변성기를 맞은 아이들은 말하는 것을 부담스러워합니다.

✿ 5학년 인지

조사 학습하는 힘이 생기고 논리 능력이 향상돼서 의견 말하기나 토론수업을 하면 즐거워합니다. 과제를 해 오지 않거나 무기력한 모습을 보이고 학습에 참여하지 않으면 비난의 대상이 되기도 합니다. 수업 시간에는 다 아는 것처럼 질문하지 않고 말없이 앉아 있는 학생이 많은데 원인은 자존심이 강하고 용기가 부족해서 틀리면 부끄러워서 그런 것입니다.

☞ 이렇게 도와주세요.

📖 심리

경쟁하는 친구에 대해 비난이나 뒷담화하게 두지 말고 선의의 경쟁자로서 함께, 동반 성장할 수 있도록 도와주고 교육합니다. 배타적인 소집단이 형성되지 않도록 부모님과 선생님은 학기 초부터 통찰해야 합니다. 사춘기 특성을 이해하고 감정 표현과 조절하는 방법도 알려줍니다.

📖 신체

아이가 갖는 신체에 대한 불만족은 자신감을 해치고 자존감마저 무너뜨립니다. 사춘기는 어른으로 성장하는 자랑스러운 과정임을 알려줍니다. 부모님께서는 아이가 먹는 음식을 신경 쓰고 균형 잡힌 몸과 스트레스를 위해 매일 걷기, 자전거 타기, 줄넘기 같은 운동을 함께 합니다.

📖 인지

검색하는 방법과 검색하고 필요한 요점만 간추려 요약하는 방법을 알려주고 아이가 관심이 있는 분야의 책을 구입해서 매일 조금씩 꾸준하게 읽게 하여 문해력과 함께 스스로 공부하는 힘을 키워 주도록 합니다.

학습 내용이 어려워졌다고 학원에 보내지 말고, 수업 시간에 집중하여 듣고 메모하도록 독려하고 부모님께서 주 일 회 정도 수학 교과를 함께 점검하도록 합니다.

⇨ 스스로 체크 (5학년)

06. 애어른 같은 6학년

선생님들 사이에서 6학년은 '어린아이 취급하면 안 된다. 그렇다고 어른으로 착각하지도 말자.'라고 표현하는데 아주 적절한 표현인 것 같습니다. 6학년은 급격한 신체 변화와 사춘기를 거치면서 최고 학년으로 대접받다 보니 다 컸다고 생각하고 어른처럼 대해 주기를 바랍니다. 또 좋아하는 이성과 어른처럼 멋지게 사귀고 싶지만, 성에 대한 지식이 미흡하고 이성을 대하는 태도도 부족한 부분이 많습니다.

1학년부터 길들여진 학습 습관을 고수하고 자신의 학업 수준이 어느 정도인지 알고 있어서 무기력한 상태에 빠진 아이들을 볼 수 있습니다. 관심과 흥미 있는 어느 한 분야에 깊숙이 빠져서 수집하고 조사하는 아이들도 발견되는데 이 아이들은 이 분야에 대해 어른들보다 더 박식하게 알고 있기도 합니다. 이런 경우 진로교육과 연계하면 좋습니다.

또래문화에 소극적이고 혼자 지내는 것에 불편함을 느끼지 않는 듯 스스로 왕따가 되어 자기 세계에 빠진 아이들도 볼 수 있습니다. 부모님, 선생님보다 주변 친구들에게 더 잘 보이고 싶어 하고 좋아하는 친구를 험담하면 동일시하여 자신이 모욕당하는 것으로 느끼고 친구 편을 들며 대들기도 하고, 친구들을 지나치게 의식하여 발표가 소극적이고 눈치를 봅니다.

☺ 자신이 하는 말과 행동에 대해 책임지도록 이끕니다.

☺ 좋아하는 학습을 돕고, 학업 스트레스를 해소합니다.

✱ 6학년 심리

어른 대접 받기를 바라며 어른처럼 입거나 꾸미는 경우가 많아지고 차별과 편애에 민감하여 인정받는 친구를 부정하기도 합니다. 동요는 유치하다고 생각하여 가요나 팝송을 부르며 아이돌 흉내와 춤추기를 좋아합니다.

이성 친구 사귀기에 진지하게 응하여 드라마에 나오는 장면을 모방하고 바람둥이, 변태, 키스 같은 말을 자주 쓰고 여학생들은 남자친구 이야기하는 것을 즐깁니다. 선생님이나 어른을 이성으로 느끼거나 어른들과 친구처럼 지내고 싶어 합니다.

✱ 6학년 신체

팔과 다리가 몸통보다 더 자라서 신체 비율이 조화롭지 못하고 바르게 서고 앉기가 힘들어서 늘어지는 아이들이 나타납니다.

여자아이들은 대부분 생리를 하고 남자아이들도 거의 변성기가 지나 노래 부르는 것을 싫어하지만 과격한 축구, 농구 같은 스포츠에 더 매력을 느낍니다.

신체적 변화에 적응하지 못하고 은둔형 태도, 겹겹이 옷 입기, 성 관련 영상을 시청하고 흉내 내기, 자위행위가 시작됩니다.

✱ 6학년 인지

스마트폰과 컴퓨터에 능숙하여 쓰는 학습을 싫어하고 검색한 내용을 복사하는 과제 해결에 익숙합니다.

6학년이 되면 아이마다 학력 차이가 뚜렷하게 드러납니다. 영어와 수학을 포기하는 학생이 많아지고 공부에 대한 심적 부담이 커져서 수업 시간 내내 무기력한 모습을 보이는 학생도 많아집니다. 6학년 교과서를 보면 모든 교과가 내용이 많고 어려워서 아이가 자기 주도적이지 않으면 학업에 대한 스트레스로 무척 괴로운 시기를 보낼 수 있습니다.

☞ 이렇게 도와주세요.

📖 심리

아이를 인격체로 존중하여 대하고 아이와 생각이 다를 때는 논리적으로 설득해야 효과가 큽니다. 학교에서 바람직한 성교육이 이루어져야 하고 부모님께서는 성 지식에 대해 마음을 열고 솔직하게 알려줍니다. 급격한 신체 변화에 놀라지 않고 적응하도록 부모님은 사전에 미리 대화합니다.

아이가 친구들과 잘 어울리는지, 친한 친구가 누구인지 파악하여 외톨이를 예방하고 사회성을 길러 줍니다.

📖 신체

급격한 신체 변화와 성장에 대해 누구나 겪는 소중한 과정임을 알려주고 격려해 줍니다. 부모님과 함께 달리기, 줄넘기, 농구,

등산 같은 활동을 하게 하여 몸의 균형과 체력을 길러 주며 스트레스를 해소하게 도와줍니다.

신체를 가리기 위하여 큰옷을 입으면 존중해 주고 성에 대하여 회피하지 말고 마음을 열고 대화합니다.

📖 인지

늦은 밤까지 학원에 보내지 않도록 하고, 부진한 과목과 내용이 무엇인지, 학업 스트레스가 있는지 파악하여 도와줍니다. 의견을 말할 때 생각과 함께 이유도 말하게 하여 늘 대화하는 분위기를 만들어서 중학교 고등학교에 갔을 때 대화가 단절되지 않아야 부모 자식 관계가 틀어지지 않고 잘 해결할 수 있습니다.

⇨ 스스로 체크 (6학년)

2. 긍정적인 아이

긍정적인 아이일수록
세상을 행복하게 살아갑니다!

01. 늘 따뜻한 아이

학교에서 아이들과 생활하다 보면 따뜻하고 푸근한 아이를 볼 수 있습니다. 따뜻하고 푸근한 아이들의 공통점은 도움이 필요하거나 어려움에 부닥친 짝꿍이나 학급 친구들을 어떤 대가나 칭찬을 바라지 않고 말없이 도와준다는 것입니다. 일 회성이나 몇 번에 그치지 않고 늘 따뜻하고 푸근하게 행동합니다. 성격도 좋아서 다툼도 없고 다른 친구 누구나 거부감 없이 다가가서 고르게 잘 지내며 다른 친구들도 푸근한 친구에게는 쉽게 다가오는 모습을 볼 수 있습니다. 따뜻하고 푸근한 아이들은 바라만 봐도 저절로 미소 짓게 합니다.

☞ Tip

따뜻한 태도는 부모님을 보고 배웁니다. 가족끼리 먼저 실천합니다. 밥 한 숟가락 더 주기, 맛있게 먹으라고 말해주기, 맛있게 먹으니 보기 좋다, 어떻게 해줘서 고마워, 설거지해 줘서 다른 일을 할 수 있었어! 그래서 고마워, 엄마 아빠가 먼저 드는 마음을 풍부하게 말로 표현하도록 합니다.
아이가 다른 사람과 조금씩 더 많이 어울리도록 해줍니다. 어울리면서 배려받은 상황이면 고마워, 실수했을 때는 미안해, 잘한다, 빌려줄까? 도와줄까? 말로 표현하는 것을 알려 줍니다.

♣ 1학년 준석이는

6학년 같습니다. 짝꿍이나 앞과 뒤에 앉아 있는 친구가 지우개나 연필이 없으면 말없이 자기 것을 줍니다. 한 번은 짝꿍이 지각하여 늦게 도착한 적이 있었는데 "짝꿍아, 왜 이렇게 늦었어, 어디 아파? 네가 오지 않아서 걱정했어."라고 말합니다.

장애가 있는 친구와 짝꿍이 되어서 체험학습하는 행사가 있어서 '누구를 보내야 할까?' 고심하다 준석이를 달려 보낸 적이 있는데, 다녀오고 며칠 뒤에 특수선생님께서 "종일 한결같이 따뜻하게 도와주는 준석이를 보고 감동했다."라고 말씀하셨습니다. 준석이는 1년 내내 따뜻한 아이였습니다.

⇨ **한 줄 생각** 위 이야기를 읽으면 어떤 생각이 드나요?

02. 항상 웃는 아이

아이들은 다양한 유형이 있고 아이마다 다른 표정을 짓고 있습니다. 아이들 표정은 신기하게도 1년을 담임하며 관찰되는 모습은 바뀌지 않고 같은 표정을 짓는다는 것입니다. 어떤 아이는 늘 화가 나 있는 표정을 하고, 어떤 아이는 늘 불만스럽거나 마음을 열지 않는 표정을 짓고, 웃는 모습을 거의 볼 수 없는 아이도 있습니다.

항상 웃는 아이들이 있는데 이 아이들은 잘 웃으니, 언제나 표정도 밝은 인상을 하여 보기 좋습니다. 어려운 과제나 힘든 일, 참기 어려운 일에도 화를 내거나 인상을 쓰지 않고 불평 없는 얼굴로 해결합니다. 웃는 얼굴을 하는 아이일수록 긍정적이고 주변 친구들이 많은 것과 비례합니다. 어른도 아이도 모두 웃는 얼굴을 좋아합니다.

☞ Tip

가정에서 어른들이 마음을 느긋하게 갖고 미소 짓고 웃어 주며 말하는 모습을 보여 줍니다. 조금이라도 좋은 일이 있거나 기분 좋으면 자주 웃도록 합니다. 아이에게도 웃으니 참 예쁘다, 웃으면서 말해주니 기쁘다. 풍부하게 표현하도록 합니다.

화나는 일이 있으면 화를 참고 왜 화가 나는지 생각을 말해줍니다. 아이가 실수하면 꾸중보다는 잘 타이릅니다.

♣ 수빈이가

하연이 공책에 검정 색연필로 직직 그으며 머리가 엉클어진 하연이 얼굴을 그리고 '하연이 바보'라고 쓰는데 하연이는 이르지 않고 미소 짓고 수빈이를 바라봅니다.

동수가 걸어가면서 우유를 뜯다가 힘이 과해져서 그만 우유를 쏟았습니다. 우유는 옆에 있던 하연이 얼굴과 옷으로 떨어져서 머리카락과 얼굴에 묻고 옷이 젖었습니다. 그러나 하연이는 밝게 웃으며 닦으면 된다고 말합니다. 동수가 미안해서 당황하자 괜찮다고 동수를 보고 웃어 줍니다.

하연이는 오늘도 웃으며 짝꿍에게 맞춤법을 알려줍니다.

⇨ 한 줄 생각   위 이야기를 읽으면 어떤 생각이 드나요?

03. 용기 있는 아이

아이들에게 학교는 여럿이 모여 생활하는 공동체로 작은 사회를 경험하고 배우는 중요한 장소입니다. 아이들은 학교에서 크게 세 가지를 익히고 배웁니다.

첫째, 친구들과 관계 맺고 사이좋게 생활합니다.
둘째, 공동체 생활에 필요한 약속을 준수합니다.
셋째, 배움을 통하여 지식을 쌓고 역량을 키웁니다.

학교에서 아이들은 이것저것 엄청나게 많은 것을 배우는데 매사에 의욕이 없는 아이. 무기력한 아이, 바로 포기하는 아이가 있어서 걱정이 이만저만이 아닙니다.

용기 있는 아이, 적극적인 아이, 도전하는 아이도 많은데, 이 아이들은 새로운 학습이나 공부, 과제를 줬을 때 거부하지 않고 적극적인 자세로 도전하며 결코 포기하지 않고 끈기 있게 수행합니다.

용기 있는 아이들은 수업 시간에 자기 생각이나 의견을 서슴없이 표현하고 어려운 학습도 마다하지 않고 해결하는 자세를 보이며 친구들과도 잘 어울립니다.

고학년으로 올라갈수록 친구들과 소통이 줄어들고 학습한

내용이나 자신의 의견을 말하지 않는 아이들이 늘어나는 데 여러 가지 원인이 있을 수 있어서 부모나 선생님은 협력하여 이 부분도 개선해 주어야 합니다.

☞ Tip

아이들은 아직 자기중심적으로 생각하고 공감하는 능력이 미흡합니다. 아이가 미숙하거나 부족한 태도를 보이며 실수를 한다고 화를 내버리거나 야단치지 말아야 합니다. 꾸중 듣고 야단치면 아이들은 부담을 느끼고 도전하지 않습니다.

두려워하는 것이 있다면 한발씩 조금씩 딛고 나갈 수 있도록 긍정적으로 말해줍니다. '못해도 괜찮아, 실수하면 어때? 잘할 수 있을 거야, 조금만 더 해보자.' 사람은 실수했을 때나 잘못했을 때 훨씬 많이 배우게 됩니다.

♣ 국어 수업 시간에

'자신의 의견을 전체 친구들 앞에서 말해 볼까?' 하고 묻자 대부분 학생은 슬며시 고개를 숙입니다. 이때 찬수가 손을 번쩍 들어서 의견과 함께 의견을 말하는 이유를 들어 말해서 칭찬을 받았습니다.

수학 시간에 받아내림이 있는 대분수 뺄셈 방법을 알려주고 학생들에게 이해했냐고 물어보자 대부분 '예'하고 대답하였습니다. 그러나 찬수는 '선생님, 〈대분수 − 대분수〉 계산할 때 자연수는 자연수끼리 빼준다고 하셨잖아요? 근데 오늘은 왜 대분수를 가분수로 바꿔서 계산하라는 거에요?'하고 물어봐서 솔직하게 모르는 것을 말해줘서 고맙다고 말하고 점심을 먹고 와서 자세하게 알려 주었더니 잘 풀었습니다.

⇨ **한 줄 생각**   위 이야기를 읽으면 어떤 생각이 드나요?

04. 공감하는 아이

인성이 좋은 아이들의 공통점은 공감하는 능력이 뛰어납니다. 공감하는 아이는 상황을 잘 알아채고 적절하게 해결하거나 표현할 줄 안다는 것입니다. 학교에서 스물다섯 명 이상의 아이들과 생활하다 보면 하루에도 셀 수 없이 많은 일이 벌어집니다. 교실에서 어떤 상황이 벌어졌을 때, 문제가 발생했을 때, 무엇인가 해결해야 할 때, 부정하거나 소극적이지 않고 사태를 정확하게 인지하고 먼저 어떻게 해결해야 할지 적극적인 표현과 자세를 보입니다.

공감과 지능은 밀접한 관련이 있다고 합니다. 지능이 높은 아이일수록 공감을 잘한다는 연구 결과가 있습니다. 공감할 줄 아는 아이는 다른 친구들과도 사이좋게 잘 지내는 것을 볼 수 있습니다. 친구가 슬플 때 위로해 주고, 아플 때 도와주고, 친구가 무엇이 불편한지 알고 시키지 않아도 말없이 도와줍니다.

☞ Tip

공감하는 아이로 키우고 싶으면 어른들이 먼저 풍부하게 말로 상황을 표현하도록 합니다. 만약 애니메이션을 보고 있다가 슬픈 상황이 나타나면 어린아이는 아직 어떤 마음이 드는지 어떻게 표현할지 모릅니다. 이때를 놓치지 말고 '할머니가 떠나게 돼서 앞으로 할머니를 보지 못하게 되었네, 마음이 쓸쓸하고 할머니가 보고 싶을 것 같아.'라고 말해 줍니다.

♣ 쉬는 시간에

화장실에서 아이들이 코를 막고 '냄새난다, 누가 똥 누나 봐!'하고 한 친구가 말하자 같이 있던 다른 친구들 여럿이 잠겨 있는 화장실 문을 발로 차며 '똥 눈대요, 똥 눈대요.' 하고 집단으로 놀렸습니다. 용변을 보러 왔던 범영이는 이 상황을 알아채고 '얘들아, 그러지 마, 너희들도 똥 누잖아? 안에서 얼마나 불안하겠어. 얼른 교실로 가.' 놀리던 아이들을 돌려보낸 뒤에 화장실에 있는 친구를 안심시켜 교실로 데려왔습니다.

아침 수업 시작 시각보다 영민이가 교실에 5분 정도 늦게 도착하자 몇 명 아이들이 '선생님, 영민이 지각했어요.'라고 이르는데 뒤에 앉아 있던 범영이는 '영민아, 나도 1학기 때 아파서 늦게 온 적이 있어. 어디 아파? 왜, 늦게 왔어?'라고 물어봅니다. 영민이는 정말로 몸살이 나서 늦잠을 자고 학교에 늦게 도착한 것입니다.

⇨ 한 줄 생각　위 이야기를 읽으면 어떤 생각이 드나요?

05. 믿어 주는 아이

긍정적인 아이들은 선생님이 말하는 내용과 친구들이 말할 때 그러려니 하고 의심하지 않고 잘 믿어 줍니다.

믿어 주는 아이는 수업 시간에 선생님이 과제를 안내하면 불평하지 않고 성실하게 해냅니다. 비슷한 문제 더 풀어 보기, 약간 어려운 문제 도전하기, 글 이어서 쓰기, 하던 학습 끝내기, 작품 완성하기 등 추가로 제시하면 말없이 믿고 수행하는 아이가 있는가 하면, '하기 싫은데, 왜 해야 해요? 안 하면 안 돼요?' 하고 불평하고 불만을 표현하는 아이들이 있습니다. 불평 없이 묵묵히 수행하는 아이가 당연히 더 많이 배웁니다.

믿어 주는 아이는 또래 관계에서도 어려움이 없습니다. 친구가 하는 말이나 행동을 믿고 지켜보게 되니 갈등이 없고, 여러 친구와 잘 지내기 때문에 마음도 행복합니다.

친구를 믿지 못하고 의심하는 친구는 자꾸만 부정적으로 말하거나 하지 말라고 간섭합니다. 심할 때는 선생님께 이르기도 합니다. 이런 행동을 반복하다 보면 사이좋게 지내지 못할 뿐만 아니라 친구들과 다투게 됩니다. 잦은 다툼은 친구 관계를 어렵게 해서 사회성을 방해하고 다른 친구들이 함께 놀아 주기를 꺼려해서 외톨이가 될 수밖에 없어서 혼자 놀아야 하는 경우도 발생합니다.

부모님이 아이를 믿어 주고 있다는 인상을 심어줍니다. 또 믿어 주는 말을 많이 해서 아이가 보고 듣도록 하면 아이도 부정적인 말보다는 믿어 주는 말을 더 많이 하게 됩니다. 아이가 하고 싶은 일이 있다면 못 하게 하거나 화내지 말고, 우선 아이의 생각을 끝까지 들어줍니다. 야단치지 말고 이유를 친절하게 알려주고 아이가 판단하게 합니다.

♣ 실과 시간에

바느질하는 방법을 익히면서 인형 완성하기 시간입니다. 학급 아이들은 바늘로 친구가 찔리지 않도록 안전교육을 받은 대로 조심 조심 그러나 얼굴에는 즐거운 미소가 가득합니다. 처음으로 바늘을 만져보는 아이들은 긴장감과 자신이 만든 인형에 대한 설렘과 기대감 크다고 말하면서 즐겁게 바느질합니다. "선생님 저는 바늘 만지기도 싫은데요. 인형은 만들어서 뭐 해요. 안 하면 안 돼요?" 못해도 좋으니 한번 해보자. 조금이라도 해보자. 하다 보면 재미있을 거야. 몇 차례 독려해도 동혁이는 삐진 얼굴로 두 시간째 딴 짓만 합니다. 동혁이는 다른 시간에도 참여가 소홀합니다.

⇨ **한 줄 생각**   위 이야기를 읽으면 어떤 생각이 드나요?

┌───┐
│   │
│   │
└───┘

06. 도와주는 아이

긍정적이고 배려하는 아이들은 공감 능력이 뛰어나서 주변 사람들과 잘 지내고 친구들을 잘 도와줍니다.

도와주는 것은 친사회적인 행동으로 돕기를 통한 아이들 간의 따뜻한 관계는 편안함과 행복감을 느끼게 하며 배려하는 인간으로서의 유능감을 키워 좋은 사람으로 성장시켜줍니다.

수업 시간에는 서로 알려 주고 도움을 주면서 학습 문제를 해결하고, 쉬는 시간에는 여럿이 모여서 서로서로 도와가며 놀이하는 모습을 볼 수 있습니다. 연필이 없는 친구에게 자신의 연필을 주고, 무거운 우유 상자를 함께 들어주고, 아픈 친구가 있으면 부축해 주기도 합니다.

☞ Tip

또래 친구가 어려움에 처했거나 조금 거들어 주면 잘할 수 있다는 것을 알아채야 도와줄 수 있습니다. 잘 도와주는 아이로 키우려면 가족 간의 협력하는 행동이 먼저입니다. 아직 어리다고 힘이 없다고 아무것도 할 줄 모른다고 어른이 다 해주지 말고 아이가 해낼 수 있도록 도와주고 격려합니다. 집안일도 아기가 할 수 있는 일이 있습니다. 자기 장난감 정리, 책 정리, 쉽고 작은 일부터 도와주도록 의도합니다.

♣ 수업을 시작하려고 할 때

교과서를 가져오지 못한 아이들은 풀이 죽어 있습니다. 그럴 때마다 책을 가져온 짝꿍에게 가운데 놓고 짝이 볼 수 있도록 도와달라고 말합니다. 책상 가운데 놓거나 짝꿍이 볼 수 있도록 놓아 주는 것을 아이들 대부분 싫어합니다. 마지못해서 살짝 가운데 쪽으로 놓았다가 나중에 보면 어느새 짝이 볼 수 없도록 자신만 보고 있습니다.

도와주는 아이는 선생님이 시키지 않아도 스스로 어려운 수학 문제를 짝꿍에게 친절하게 가르쳐 주는 아이, 깁스한 친구 가방 들어 주는 아이, 장애 아동을 도와 주면서 여기저기 데려다주는 아이도 있습니다.

⇨ **한 줄 생각** 위 이야기를 읽으면 어떤 생각이 드나요?

07. 잘 어울리는 아이

아이들이 삼삼오오 어울려 등교할 때, 교실에서 함박웃음 지으며 함께 책을 읽거나 노는 모습을 보면 흐뭇하고 대견합니다. 친구들과 재잘거리며 어울리는 것은 친사회적인 행동으로 어린이들이 생활하는 공동체에 꼭 필요한 덕목입니다. 아이들이 어울려서 학습하고 노는 모습을 보면 저절로 미소 짓게 하고 불끈 힘이 납니다. 아이들이 어울려서 함께하는 모습은 세상에서 가장 아름다운 모습일 것입니다.

운동, 놀이, 게임, 모둠 학습, 토의, 과학실험, 조별 보고서나 작품 완성 등 학교에 오면 아이들은 상호작용하면서 협력하는 일이 아주 많습니다. 부모님께서는 아이가 학교에서 잘 어울리는지 담임선생님께 확인하고 어려움이 있다면 선생님과 함께 적절한 지원을 해야 합니다.

☞ Tip

어울리는 아이로 키우려면 먼저 아이가 형제들과 그다음에는 또래들과 어울리게 해줍니다. 형과 동생이 싸운다고 장난감을 따로따로 사주지 말고, 다른 장난감을 사줘서 교대로 바꿔서 놀게 합니다. 외동이라면 혼자 놀게 하지 말고 키즈 카페, 공원, 놀이터 같은 곳에 자주 가서 어울리면서 도움받고 도와주도록 기회를 만들어 줍니다.

♣ 4학년 정완이는

어떤 친구와도 잘 어울리며 학교생활 합니다. 사회 시간에 짝꿍과 도란도란 이야기를 나누며 지도에 붙일 건물을 상의하고 서로 다정하게 색칠도 합니다. 파키스탄에서 온 친구가 쉬는 시간에 혼자 있는 것을 보고 옆에 가서 앉습니다. '보건실은 어디에 있다, 체육관은 어디에 있다. 영어는 영어실에서 공부한다.' 말이 통하지 않는 다문화 친구들과 장애아 친구들 비장애 친구들 누구와도 잘 어울립니다.

⇨ **한 줄 생각** 위 이야기를 읽으면 어떤 생각이 드나요?

08. 솔직 정직한 아이

솔직하다, 정직하다는 비슷한 뜻을 가진 말로 어학사전에 '거짓이 없고 매우 솔직하거나 진실한 것, 마음에 거짓 없이 곧고 꾸밈이 없으며 바르다.'라고 나옵니다.

교실 바닥에 연필이 떨어져서 누구의 것이냐고 물어보면 다 자기 것이 아니라고 합니다. 친구에게 욕하는 것을 선생님이 보았는데 욕하지 않았다고 말하고, 먼저 때려 놓고 친구가 먼저 약을 올렸다고 화를 내고, 놀려서 친구가 울면 자기는 놀린 적 없다고 합니다. 정직하지 못한 아이들이 점점 늘어나고 있어서 교육이 필요합니다. 정직한 아이를 보면 마음이 흡족하고 고맙고 대견합니다.

☞ Tip

있는 그대로 말하는 습관을 들여 줍니다. 아이가 잘못했거나 실수했을 때 아이는 그렇지 않아도 엄마 아빠께 잘 보이고 싶은데 실망시켜 드렸다는 죄책감 때문에 마음이 힘듭니다. 부모님께서는 아이가 미흡하게 행동한다고 야단이나 꾸중을 하지 않아야 합니다. 아이가 정직하지 않거나 거짓말을 한 경우에도 야단을 먼저 치지 말고 거짓말이 더 큰 문제를 낳을 수 있다고 논리적으로 설명해 줍니다.

♣ 교실 바닥에

쓰레기가 많이 떨어져 있어서 줍자고 했더니 대부분 아이는 자기는 버리지 않았다. 아까 누가 버렸다고 하면서 이르고, 지명된 아이들은 화를 내며 내가 언제 버렸느냐며 퉁명스럽게 말합니다. 말없이 쓰레기를 쓸어 담고 있는 정은이에게 '정은이도 바닥에 쓰레기 버린 거야?'라고 물어보자 '네, 아까 쓰레기통까지 가는 것이 귀찮아서 슬쩍 버렸어요. 선생님, 죄송해요.'라고 말합니다. 정은이는 며칠 전 먹다 말은 우유를 신발장 구석에 버렸다가 솔직하게 자기라고 말한 적도 있습니다.

⇨ **한 줄 생각** 위 이야기를 읽으면 어떤 생각이 드나요?

09. 참을성 있는 아이

부모님께서는 화가 나도 참을 수 있는 아이로, 아기 때부터 표현하고 조절할 수 있도록 키우셔야 합니다. 아이가 화가 났을 때 무슨 일로 화가 났는지, 왜 화가 났는지 잘 들어주고 어떻게 하는 것이 좋은지 친절하게 알려 줘야 합니다. 6학년 아이들조차 화가 나면 자신이 왜, 무엇 때문에 화가 났는지도 모르고 다른 친구에게 화풀이해서 다툼이 생기는 경우 많습니다. 슬픈 감정인지, 우울한 감정인지, 분노가 일어나고 있는 감정인지 자녀가 지금 어떤 감정인지 이야기를 나누어 알게 하고 세련된 말로 표현하도록 교육합니다.

　1학년부터 6학년까지 모든 학년의 학습은 끈기가 필요합니다. 끈기가 없는 아이들은 아무리 독려해도 하려고 하지 않고, 쉽게 포기하고 아까운 시간을 무기력하게 보내서 안타깝게 합니다. 저학년은 저학년대로 고학년은 고학년대로 오랜 시간 듣기, 쓰기, 셈하기, 여럿이 해결하기 등 끝까지 참고 완성해 내는 아이로 키우는 것은 어릴 때일수록 효과가 좋습니다. 국어는 1학년 쓰기와 읽기에 끈기가 없는 아이를 방치하면, 수학은 받아올림이 있는 덧셈과 받아내림이 있는 뺄셈에서 '나중에 잘하겠지.' 하고 안일하게 넘겨 버리면 평생 부진에서 벗어나지 못하고 공부와 멀리하게 됩니다.

☞ Tip

부모님은 아기 때부터 '조금만 더 해볼까? 이번에는 아까보다 조금 더 해보자. 힘들었을 텐데 잘했네. 어려운데 잘했어!' 하면서 칭찬과 함께 참을성과 끈기를 길러줘야 합니다.

♣ 3학년 준성이는

오늘 하루 친구들에게 세 차례나 화를 내서 지도했습니다. 화가 난 이유를 물어보니 사실 화낼 일도 아니고 마음만 표현하면 되는 일이었습니다. "왜, 허락 없이 내 지우개 갖다 써, 짜증 나게." 다음에 이런 일이 벌어지면 준성이에게 "짝꿍이 지우개 빌려 쓰고 싶다고 미리 말해주면 좋겠어. 빌려달라는 말 없이 가져다 써서 내가 화가 났어."라고 말해 보라고 알려줬습니다.
찬수는 1학년 때 자음과 모음 쓰기가 매우 늦는 아이였습니다. 쓰기가 너무 느려서 쓰다가 툭하면 울었습니다. 울면서도 쓰기를 포기하지 않고 써서 칭찬도 많이 받았습니다. 부모님께 집에서 매일 조금씩 쓰는 것을 지도해 달라고 부탁드렸습니다. 끈기 있게 노력하는 찬수는 국어 설명문 쓰기도 수학 분수의 곱셈도 소수 곱셈도 척척 해냅니다.

⇨ 한 줄 생각   위 이야기를 읽으면 어떤 생각이 드나요?

10. 스스로 하는 아이

자기 주도적인 태도는 성실한 아이, 책임감 있는 아이, 협력하는 아이로 성장할 수 있는 중요한 요소입니다. 자녀에게 길러 줄 부모님의 과제 중 가장 중요한 것은 자기 주도적인 아이로 키우는 일입니다. 자기 주도적인 아이는 자존감이 높고, 자신이 할 일을 미루지 않고 해내며 성실하고 책임감 강한 태도를 보이는 긍정적인 아이입니다.

우리나라 초등학교에서 배우는 교육과정을 보면 내용이 어려운 편이고, 학년마다 배워야 할 분량이 아주 많습니다. 자기 주도적인 아이는 수업 시간에 배우는 모든 학습에 불만하지 않고 힘들어도 잘 해내거나 노력하는 모습을 보입니다. 과제를 내주면 꼭 해와서 수업 시간에 지장이 없고 본인 스스로 떳떳하며 다음에 배우는 어려운 학습도 잘 따라 하게 됩니다. 자기 주도적이지 않은 아이는 모든 배움이 소극적이고 불성실한 학습 태도가 누적되어 학습 부진으로 이어지고 자존감마저 떨어지게 됩니다.

자기 주도적인 아이는 먼저 친구들에게 다가가서 잘 어울리고 자신이 맡은 일도 스스로 잘 해내며 힘든 일 어려운 일도 마다하지 않고 해내는 특성이 있습니다. 자기 주도적이지 않은 아이는 아침 활동, 자신이 맡은 청소, 친구들과 놀이, 일인 일역, 모둠 과제, 악기 연주, 팀 경기에 게으르거나 소홀해서 친구들로부터 비난과 원망을 받게 됩니다. 결국 남에게 피해 주는 일도 발생하게 되고 스스로 떳떳하지 못한 마음으로 열등감이 생기고 자존감도 낮아질 수 있어서 경계해야 합니다.

☞ Tip

어리다고 답답하다고 부모님이 다 해주지 않습니다. '아직 못할 거야.'라는 생각도 버립니다. 아이가 자기 일을 끝까지 해내는 습관이 들도록 격려하고 칭찬해 줍니다. 꾹 참고 기다려 주는 것도 잊지 않습니다.

♣ 5학년 민성이는

실학의 의미를 조사하고 실학자에 대하여 요약해 오는 과제를 해와서 사회 수업 시간에 발표하여 친구들에게 박수받았습니다. 민성이가 맡은 일인 일역은 교실 책 정리인데 하루도 빠지는 일 없이 수행합니다. 쉬는 시간에는 학급 친구들과 이 놀이 저 놀이 잘 어울려서 늘 웃는 얼굴을 합니다.

♣ 6학년 시훈이는

선생님이 챙기고 친구들이 챙겨도 교과서 준비가 잘 안되고 학습도 하지 않습니다. 모둠에서 자신이 맡은 조사나 역할에 소홀히 해서 친구들에게 피해를 주고 시훈이가 우리 모둠이 아니었

으면 하고 바라고, 심할 때는 우리 조에 넣지 말아 달라는 요구
도 합니다. 시훈이 늘 위축되어 있습니다.

⇨ 한 줄 생각   위 이야기를 읽으면 어떤 생각이 드나요?

3. 도움이 필요한 아이

도움이 필요한 내 아이
빨리 적극적으로 도와줘야 합니다!

01. 아기 소리 내는 아이

자녀가 사랑스럽고 소중할수록 좋은 사람, 바른 사람으로 양육해야 합니다. 코로나로 마스크 쓴 시간이 많아서 입 모양을 보지 못하고 말을 익히게 되어 발음이 명확하지 않은 아이가 많습니다. 아이 중에 '우리 엄마가 ○○ 해떠요.'와 같이 친구들과 선생님께 아기처럼 말하는 아이들이 있습니다. 이 아이는 외동이 일 수도 있고, 할머니 할아버지 엄마 아빠가 너무 귀엽고 사랑스러워서 바르게 말하는 지도가 소홀하여 습관이 된 것 같습니다. 학교에서 여러 차례 반복하여 지도해도 1학년 내내 또는 2학년인데도 아기 소리를 내어 부모님의 도움이 필요합니다. 아이가 어리더라도 인격체로서 당당하고 명확하게 말하도록 의도적으로 표현하면서 보여 주도록 합니다.

☞ Tip

"엄마가 우유줄까?" 아기에게 엄마라는 말을 일만 번 정도 했을 때 아기는 첫돌이 되고 이때쯤 "엄마."라는 말을 할 수 있게 됩니다. 자녀가 귀엽고 사랑스러울수록 바르게 말하게 합니다. 엄마나 아빠의 입 모양을 보고 발음을 명확하게 알맞은 속도와 크기로 따라서 반복하여 발하도록 합니다.

02. 자주 이르는 아이

교실에서 아이들과 생활하다 보면 유난히 많이 이르는 아이가 있습니다. 저학년일수록 이르는 아이가 많고, 6학년에도 이르는 아이가 있습니다. 이르지 말라고 타이르면 반복하여 이르는 학생이 많습니다. 이르는 심리는 다른 친구가 야단맞고 꾸중을 듣게 하면서 자신은 '그렇지 않고 옳다.'하고 존재감을 나타내고 싶은 인정욕구 때문입니다. 그러나 이르는 태도는 친구 관계를 나쁘게 만들어서 바람직하지 못하고, 유아적인 표현 방법으로 부모님과 선생님의 지도가 필요합니다.

☞ Tip

이르면 이름을 당한 상대 친구가 몹시 기분이 나쁘고, 이른 친구에 대해 좋지 않은 마음이 생길 수밖에 없습니다. 이는 다툼으로 이어지고, 다툼은 신체 폭력으로 발생하기도 합니다. 이르지 말고 마음을 자세하게 표현하도록 합니다.

아기가 말을 배울 때부터 마음을 표현하여 말하도록 알려줍니다. 부모님이 상황에 맞게 구체적으로 문장을 표현하여 말하는 시범을 보여줍니다. 나 전달법으로 '짝꿍아, 네가 ○○하니까 내가 불편해. ○○ 해줄 수 있겠니?'

03. 감정을 알 수 없는 아이

지금 무슨 생각을 하고 있는지, 어떤 마음인지 1년 내내 감정을 드러내지 않는 아이들이 있습니다. 이 아이들은 말수가 적고 혼자 놀거나 짝꿍이나 소수 친한 친구하고만 상호작용하는 모습을 보입니다. 친구 관계가 소극적이다 보니 교실에서 존재감이 없습니다. 학습도 소극적이어서 수업 시간에 발표하는 일이 거의 없습니다. 자기 생각이나 의사 표현을 하지 않고 듣기만 하거나 방관하다 보니 중요한 의사 결정을 할 때, 학급친구들이 무시하고 묻지 않는 경우도 발생합니다. 원인은 걱정거리가 해결되지 않았거나 자신감이나 자존감이 없어서 그렇습니다. 굳어지지 않도록 빠른 지도가 필요합니다.

☞ Tip

감정을 드러내지 않는 아이가 저학년에는 적었다가 고학년으로 갈수록 증가합니다. 화나다, 슬프다, 답답하다, 섭섭하다, 밉다, 원망스럽다, 기쁘다, 즐겁다, 뿌듯하다, 대견하다, 어릴 때부터 상황에 맞는 감정 표현 말을 들려줍니다. '할머니께 생일선물을 받아서 기쁘고 고맙습니다.'와 같이 풍부한 말로 표현하게 합니다.

04. 어울리지 못하는 아이

사람은 공동체 생활을 하면서 소속감을 느낄 때 안정감이 있고, 여럿이 어울릴 때 행복감을 느낍니다. 학교는 학생들에게 공동체로 소속되어 생활하는 매우 중요한 사회입니다. 학교에서 또래들과 어울려 놀이하고, 생각을 나누고, 협력하여 해결해야 할 것이 많은데 어울리지 못하고 혼자 노는 아이가 늘어나고 있어서 걱정입니다. 친구들과 어울리지 못하는 아이는 정서가 불안하고 마음이 외로우며 고단할 수 있습니다. 어울리지 못하는 원인으로 형제 수가 줄어들어 배려하지 않아도 되고, 개인주의, 이기주의, 부모의 양육 태도 등이 있습니다.

☞ Tip

또래들과 어울려 좋은 관계를 맺고 유지하는 것은 자녀의 사회화 과정과 성장 발달에 매우 긍정적인 영향을 끼칩니다. 부모님께서는 자녀가 아기 때부터 또래나 주변 사람과 어울리면서 클 수 있도록 노력해 주어야 합니다.

내 아이가 이겼으면 하는 경쟁심을 버리고, 내 아이만을 생각하는 이기심도 버리고, 또래와 함께 쓰고, 놀고, 주변 사람과 어울릴 수 있도록 우리 집에 오게 초대하고, 친구 집에 가서도 놀고 부모 먼저 마음을 열고 어울리면서 자연스럽게 사회화 과정을 통해 배우도록 합니다.

05. 말하지 않는 아이

교직 생활 올해로 37년 차, 해마다 지켜보면 평균적으로 말하지 않는 아이가 한두 명 있고, 거의 의사 표현을 하지 않는 아이도 대여섯 명쯤 있습니다. 성격상 부끄러워서 말하지 않는 아이 중에서 쓰기나 학습을 시키면 아주 잘하는 아이들이 있습니다. 이 아이들은 격려해 주고 기다려 주면 조금씩 말하는 분량이 늘어나서 걱정하지 않아도 됩니다. 그러나 자존감이 낮아서, 말하는 것이 두려워서, 걱정거리가 있어서 말하지 않거나 아주 작은 소리로 말해서 들리지 않게, 낱말만 짧게, 고개 숙이는 아이들은 적절한 도움을 줘야 합니다.

☞ Tip

아이가 말하지 않는 원인을 정확하게 파악해야 합니다. 부모님의 다툼으로 걱정이 너무 많아도, 빨리 말하라고 다그쳐도, 완벽하게 말했으면 하는 눈빛도, 친구들이 놀릴까 봐, 서투르거나 틀린 말을 할까 봐, 등 여러 원인이 있습니다.
말하는 것에 대한 두려움이 있는 아이에게 말을 하지 않는다고 화내거나 다그치면 더 말 문을 닫게 하여 역효과가 납니다. 부모님과 선생님은 아이의 마음을 헤아려주고 기다려 주면서 말하는 분량을 조금씩 늘려가도록 합니다.

06. 의욕이 없는 아이

수업을 하다 보면 모든 학습에 소극적이고 의욕이 없는 아이가 있습니다. 이런 아이들은 쓰는 것도 싫고, 셈하는 것도 싫고, 듣는 노력도 소홀하다 보니 생각하는 힘이 없고 점차 학습 부진으로 이어져서 걱정입니다. 모든 학습을 귀찮아하고, 학습시키려고 독려하면 잠깐 하다가 바로 포기해 버립니다. 긴 수업 시간 앉아 있으려면 본인도 힘들고 지켜보는 선생님과 친구들도 괴롭습니다. 학교에 와서 보내는 시간 중 수업하는 시간이 대부분인데 아까운 수업 시간을 헛되게 보내서 실력 있는 아이로 성장하지 못할까 걱정이 많습니다.

☞ Tip

학습은 아이에게 가장 중요한 과업입니다. 학습을 수행하는 것은 성실하게 책임을 다하는 사람으로 성장하는 밑거름입니다. 학습을 아예 하기 싫어서 그런 것인지, 다른 걱정이 있어서 그러는지 원인을 파악해서 배우는 일은 중요한 일이니 배움에 집중하는 습관을 길러 줘야 합니다. 자녀가 기본적인 학습이 시작될 때 부모님의 양육 태도가 중요합니다. 아이가 공부하기 싫다고 하면 바로 들어주지 말고, 아이 수준에 맞는 분량을 책임을 다하여 수행하도록 도와줍니다.

07. 자존감이 낮은 아이

자아 존중감은 자신이 사랑받을 만한 소중한 존재로서 어떤 성과를 낼 만한 유능한 사람이라고 자신을 믿는 마음입니다. 얼마나 자신을 긍정적으로 바라볼 수 있냐는 의미입니다. 다른 사람이 자신을 존중해 주거나 받들어 주기를 바라는 자존심과 구별됩니다. 학습 수행 태도나 친구들과의 관계를 보면 자신감이 없고 의욕이 없으며 위축된 아이들을 볼 수 있습니다. '실패하면 어떻게 하지?' 하는 걱정 때문에 새로운 공부나 과제에 도전하는 것을 두려워하고 시작조차 하려고 하지 않습니다.

☞ Tip

아이의 자존감은 부모님으로부터 출발합니다. 아기가 어떤 행동을 할 때 믿어 주고, 기다려 주며 격려하고 칭찬해 주다 보면 아이는 세상을 믿고 한발 한발 나아갑니다. 그러나 아이를 믿지 못하고 '빨리빨리, 이것도 못 해.'하고 다그치다 보면 아이는 주눅 들고 자존감에 상처를 입게 됩니다.

아이의 자존감을 회복시킬 수 있는 지름길은 칭찬과 격려입니다. '어제보다 글씨를 반듯하게 썼구나.' 아이가 조금만 잘해도 어떤 점을 잘했는지 구체적으로 칭찬해 줍니다. 아이가 만족스럽지 못한 결과를 보여 줄 때에도 실망하는 내색하지 않고 조금만 노력하면 잘할 수 있다고 격려해 줍니다.

08. 핑계 대는 아이

학교 4층 화장실에 휴지를 물로 반죽하여 천장, 벽, 심지어 변기와 세면기 물구멍을 막아 놓는 일이 있었습니다. 목격한 학생이 여럿이어서 누가 그랬는지 금방 찾아냈습니다. 그런데 '처음에 ○○가 그랬어요. 아까 ○○도 했어요.' 하고 자기 잘못은 인정하지 않고 반성도 하지 않은 채 다른 친구가 더 잘못했다고 탓하고 핑계를 댑니다. 아이들이 잘못했을 때 타이르고 지도하려고 하면 반성하지 않고 핑계를 대거나 다른 친구 탓으로 돌리는 경우가 많아서 참 씁쓸하고 속상합니다.

☞ Tip

남의 탓을 하거나 핑계를 대는 것은 잘못한 일에 관해 대화보다는 다그침과 꾸중을 더 많이 경험해서 그렇습니다. 아이가 잘못했을 때 구체적으로 뭘 잘못했는지 알려주고 누구나 처음에는 잘못 할 수 있음을 이야기 나누며 잘못한 것에 대해 인정하는 태도를 가르쳐야 합니다.

실수가 아닌 의도적으로 친구를 괴롭히거나 쓰레기를 버리고, 친구 물건을 망가트리고 실수였다고 핑계 대는 일도 있어서 주의가 필요합니다. "친구야, ○○를 고장 나게 해서 정말 미안해." 사과하는 표현도 평소에 가르쳐 줍니다.

09. 집중하기 힘든 아이

끊임없이 만지작거리고 딴짓하며 수업 시간에 제대로 배우지 못하는 아이들이 늘어나고 있습니다. 집중하게 하고 수업에 참여하게 하는데 몇 분이 지나면 집중하는 아이는 몇 명 되지 않고 손가락 장난, 낙서, 지우개, 장난감을 만지작거리거나, 딴짓하는 아이들이 많아집니다. 1학년인데 6학년처럼 집중하는 아이도 있고, 6학년인데 1학년처럼 집중하지 못하는 아이도 있습니다. 해가 갈수록 집중하는 시간이 짧아지고 집중하지 못하는 아이들이 증가하고 있어서 어른들의 도움이 필요합니다.

아이가 집중하지 못하는 이유를 살펴보면

첫째, 아이가 어릴 때 또는 지금도 부모님이 싸우거나 이혼 등 결손으로 감당할 수 없는 사건을 경험하여 공부보다 더 큰 고민에 빠져 있을 때; 둘째, 동영상, 휴대전화기, 태블릿 PC, 미디어 보는 시간이 증가하여 듣고 쓰고 생각하는 정적인 일에 집중하는 힘이 부족한 경우; 셋째, 어른들로부터 존중받지 못했거나, 바람직하지 못한 양육 태도로 정서가 불안하여 집중하지 못하는 경우; 넷째, 아이가 하고 싶은 것, 쉽고 재미있는 것만 하도록 허용하여 어렵고 힘든 일에 집중하지 못하는 태도가 굳어져서 집중하기 힘든 경우입니다.

학교에서 하는 공부는 아이가 흥미 있어 하는 내용만 가르치고 배우는 것이 아니라 어렵고 힘든 내용과 많은 분량을, 차근차근 단계적으로 익히고 반복하여 배우도록 여러 가지 과목으로 구성되어 있습니다. 평소에 집중을 잘하였는데 어렵거나 재미없다고 생각되는 공부를 할 때 잠시 딴짓하는 아이는 그다지 걱정하지 않아도 됩니다.

산만하여 모든 시간 집중하지 못하고 딴짓하는 아이는 집중하지 못하는 원인을 찾아서 제거하고 집중하는 시간을 늘려줘야 합니다. 아이가 과업에 빨리 싫증을 내면 부모님과 선생님은 '조금 더 해볼까? 여기까지 하면 좋겠어. 힘들었을 텐데 마쳐서 기특하구나.' 지속적으로 도와서 아이가 하는 과업에 집중하는 힘을 길러 주도록 합니다.

10. 자주 분노하는 아이

○○이는 오늘도 세 번이나 친구들에게 화를 내어 담임선생님께 지도받고 친구들에게 사과했습니다. 우리 반에 화를 잘 내는 아이는 □□, ◇◇, 이렇게 두 명이 더 있고 화낼 일이 아닌데 화를 내는 친구들도 여럿 있습니다. 화를 내는 아이들은 험악한 표정, 욕, 비하 말, 공격적인 억양, 자신의 학용품이나 교실 물건을 던지기도 합니다. 화가 나서 하는 거친 말과 행동은 친구들을 공포에 떨게 하고 화낸 친구를 멀리하게 되어 사이좋게 지낼 수 없게 만듭니다. 아이가 화를 다스릴 수 있도록 개선해 주지 않으면 아이는 사회 부적응 상태로 성장할 수 있어서 매우 위험합니다.

아이가 화를 표출하는 방법과 원인으로

첫째, 화가 났을 때 마음을 다스리지 못하여 화를 참는 힘과 공감하는 마음이 부족해서 그렇습니다.

둘째, 자신보다 약한 사람이나 친구를 존중하지 못하고 무시하고 함부로 대하는 마음 때문에 그렇습니다.

셋째, 가족 구성원으로부터 부정적인 영향을 받아서 가족에게 있는 분노를 친구가 못마땅한 행동할 때 엉뚱하게도 친구에게 화풀이하는 방법으로 표출하기도 합니다.

아이가 화가 나서 떼쓸 때 쉽게 허용하지 말아야 합니다. '왜 화가 났는지? 무엇 때문에 화가 났는지?' 아이가 화가 났을 때 쩔쩔매지 말고 화가 난 원인을 서로 충분히 이야기 나누고 표현하도록 지도합니다. 화난 이유와 해결을 소홀히 하다 보면 아이는 참지 못하고 화를 내도 되는 것으로 알고 마음대로 행동하여 점점 더 악화될 수 있습니다.

아이일수록 엄마와 아빠의 균형 잡힌 돌봄 속에 사랑받고 자라야 합니다. 정성스러운 돌봄과 사랑이 부족할 경우, 사정으로 엄마나 아빠 한쪽이 없는 경우에도 아이의 분노가 마음속에 자리잡게 됩니다. 어른들로부터 존중과 사랑을 받지 못하고 무시나 비난받아도, 학대받아도 아이는 세상을 원망하는 마음과 분노가 크게 자리 잡게 됩니다. 어떤 사정으로 가족 구성원 중 엄마나 아빠가 없다면 듬뿍 사랑해줄 대상이 필요합니다.

2장 엄마 아빠는

1. 입학 전 준비는요

아이에게 자신감을 심어주고
빨리 학교 적응하도록 도와줘요!

01. 학동기 입문 만 6세

만 6세 이전의 유아기 아이는 급속하게 언어 능력이 발달하면서 사고의 범위가 넓어집니다. 부모와 대화를 원활하게 주고받을 수 있게 되며 유치원이라는 기관을 통해 친구들과 기본적인 사회화 과정도 경험하게 됩니다.

아이의 반듯한 태도와 따뜻한 마음은 6세 이전에 대부분 형성됩니다. 아이는 엄마와 아빠를 보고 행동과 마음 씀씀이와 말투까지 그대로 따라 해서 리모델링 된다는 점입니다. 아이는 모르게 부모가 의도적이고 바람직하게 모범적인 자녀교육을 실천해야 합니다. 그래야 학교에 입학하면 더 잘 해낼 수 있습니다. '학교에 들어가면 잘하겠지. 고학년으로 올라가면 잘할 거야.'라는 안일한 생각과 소홀한 태도로 양육하면 효과가 더디고 늦습니다.

만 6세 아이는 입학하면서 학동기에 접어들게 됩니다. 편안한 가정에서 자유로운 유치원 생활을 거쳐 생활 중심이 학교로 옮겨짐에 따라 친구들과 사회적 관계를 만들어 가고 사회인으로서 기초적인 소양을 닦게 됩니다. 학동기에는 Erkson의 발달과업인 근면성을 형성하는 중요한 시기입니다. 아이는 학교에 와서 친구들과 사이좋게 지내며 좋은 관계 맺기를 실천합니다. 또 규범이나 규칙을 지키며 성실, 책임, 사회에서 요구하는 도덕성과 양심을 발달시키며 근면성이라는 과업을 달성하게 됩니다.

'전업 자녀'라는 신조어를 듣고 소름이 돋았습니다. 서른이 넘어도 마흔이 넘어도 힘든 사회생활을 하지 않고 부모님께 얹혀살아서 캥거루처럼 생활하는 자녀를 뜻하는 말입니다. 아이가 어리니 '잘 모를 거야. 나중에 잘하겠지.' 하고 대수롭지 않게 생각하면 자녀를 강하게 키울 수 없습니다.

0세 신생아도, 1세 아이도, 2세 아이도 오감으로 느끼고 배웁니다. 아이가 해야 할 일, 할 수 있는 일은 매일 조금씩 하는 습관을 들여 주어야 합니다. 귀하다고, 아이가 힘들어하는 것이 싫어서, 아이가 하는 것이 답답해서 부모님이 해주고, 태만을 허용해 주면 학교에 들어와서도 불성실하고 무책임하게 행동하게 되고 사회부적응아로 직장 생활도 하지 못해서 '전업 자녀'가 되는 것입니다.

⇨ 메모하기

02. 숟가락 식사 예절

1학년 A가 친구 집에 초대되어 같이 밥을 먹게 되었는데 A가 젓가락질은 아예 하지 못하고 숟가락질도 서툴러서 음식을 흘리고 먹었습니다. 초대한 엄마는 '포크 줄까?' 물어보고 포크로 먹게 하였습니다. 그런데 A가 유난히 쩝쩝거리며 먹어서 친구 엄마가 '음식 먹는 소리가 나지 않게 먹어 볼까?' 하고 친절하게 말했습니다. 다음날 이 사건이 온라인상에 올라와 갑론을박이 뜨겁게 벌어졌습니다.

    A가 집에 돌아와 엄마에게 말했고 A 엄마는 친구 엄마에게 '왜 우리 아이를 야단쳐서 기죽게 했느냐? 누가 초대해 달라고 했느냐? 아이가 소리내고 먹는 것은 당연한거죠?'고 항의했습니다. 교육적으로 타일렀다고 주장하는 친구 엄마는 온라인에 올려서 사람들의 생각을 물어보았습니다.

☞ 댓글 ①

    자식이 야단맞는 것이 싫으면 집에서만 데리고 있어라. 학교에도 보내지 말아야 한다.

☞ 댓글 ②

자식이 소중하고 사랑스러운 만큼 예의 교육을 해야 한다.

☞ 댓글 ③

사람은 더불어서 어울려 살 때 가장 행복감을 느낀다. 우리 아이가 사람들과 잘 어울리고 양보도 하고 필요하면 야단도 맞고 하면서 성장하는 것이 맞다.

☞ 댓글 ④

타이르고 야단쳐 주면 오히려 고마워해야 한다. 엄마가 보지 않을 때 반듯하게 행동해야 잘 키우는 것 아닌가?

자녀에게 사랑을 듬뿍 주는 것은 바람직합니다. 사랑하는 마음과 자녀의 양육 태도는 경계를 세워야 합니다. 양육은 아이에게 옳고 그름과 해도 되는 행동과 해서 안 되는 행동을 분명하게 구분해서 교육하는 것입니다.

학교에 입학하면 모두 급식을 배정받습니다. 급식실에 1학년을 위한 작은 숟가락이나 포크가 제공되지 않는 학교가 대부분입니다. 입학하여 숟가락질 특히 젓가락질 못 하여 밥을 먹지 못하고 울거나 힘들어하는 아이들이 있습니다. 다른 친구들은 숟가락질과 젓가락질을 잘하는데 본인은 못하니 부끄럽고 주눅 들어서 밥을 먹지 않고 남기면서 '먹기 싫어요, 다 먹었어요, 배가 아파서 못 먹겠어요.' 하는 아이도 있습니다. 입학하기 1년 전부터 숟가락질과 젓가락질을 할 수 있도록 미리 가르쳐 주시고 음식을 먹을 때 흘리지 않고 먹으려는 노력과 소리 내어 먹지 않도록, 또 음식이 입에 있을 때 말하지 않는 습관을 들여 주기 바랍니다.

⇨ 메모하기

03. 옷 신발 단추 지퍼

1학년에 입학하면 유치원에 없던 교과서가 있고, 교과서 내용 즉 교육과정을 살펴보면 신체활동이 많습니다. 많은 시간 여러 가지 신체활동을 하려면 편안하고 신축성 있으며 몸에 맞는 옷을 입히는 것이 좋습니다.

　작은 옷은 당연히 몸에 끼니 불편하여 적극적인 신체활동에 지장을 주고, 몸에 큰 옷은 옷이 휘돌아서 불편할 뿐만 아니라 장애물에 걸리기도 하고 바짓가랑이가 밟혀 넘어지기도 하여 다치는 사고도 일어납니다. 지퍼나 단추가 있는 바지보다는 신축성 있고, 고무줄도 된 옷을 입히는 것이 좋습니다. 화장실에 가서도 입고 벗기에 불편함 없이 용변 보기에 편리한 디자인의 옷을 입히도록 합니다.

　쑥쑥 많이 큰다고 돈이 아깝다고 신발과 실내화도 큰 치수를 사서 신기면 곤란합니다. 신발로 인한 안전사고가 생각보다 많이 발생하는 것을 볼 수 있습니다. 학교에 계단이 많은데 큰 신발 때문에 헛디뎌서 넘어지고 이빨이 부러지는 일을 여러 번 보았습니다. 발에 맞는 신발을 신겨서 아이가 안전하게 학교생활 하도록 합니다.

　어려서 못 한다고 단추나 지퍼를 채워주지 않도록 하고 단추 채우는 방법에 따라 아이 스스로 단추 채우기와 지퍼 올리기를 반복하여 잘할 수 있도록 한 다음 입학하도록 합니다. 단추 채우기와 지퍼 올리기는 만 6세 아동의 소근육을 발달시키고 학교생활에 자신감을 줍니다.

♣ 1학년 진수는
수업 시간에 자꾸만 옷소매에서 두 팔을 빼는 장난을 하느라 집중하지 못하여 제대로 배우지 못합니다. 몇 번이나 팔을 소매에 넣어 입히기를 반복하였습니다. 다음날 다른 옷을 입고 왔는데 또 옷소매에서 두 팔을 빼는 장난을 반복합니다. 자세히 보니 옷이 커서 팔이 쉽게 빠집니다. 엄마는 아이가 자꾸 커서 돈 아깝다고 큰 옷을 사입혔다고 합니다.

♣ 2학년 재한이는
형이 신던 실내화를 신어서 자꾸 벗겨집니다. 안전사고가 날까, 봐 걱정된 담임선생님이 내일은 맞는 실내화를 신고 오라고 오전에 일러두었습니다. 이날 오후에 운동장에서 체육 수업을 마치고 계단을 올라가던 시훈이가 실내화가 큰바람에 계단 모서리를 덜 디뎌서 앞으로 넘어졌고 불행하게도 앞니 영구치 두 개가 부러졌습니다.

04. 끈보다 찍찍이

1학년과 2학년을 담임했던 경험이 많은데 1학년과 2학년을 담임했던 경험을 돌이켜 보면 여러 가지 면에서 1~2학년 아이의 학교생활에서 부모님의 도움과 지원이 제일 많이 필요하고 중요했던 기억이 떠오릅니다.

아이들과 학교생활 하다 보면 신발을 신고 벗을 일이 하루에도 여러 차례 있습니다. 특히 1학년 담임했을 때 학급당 아이들이 30명 정도 되었는데 아이들은 끈으로 구성된 운동화를 많이 신고 있었습니다. 운동화 끈이 풀려서 벗겨지기도 하고, 안전사고 위험에 노출되기도 하였습니다.

30명의 아이들을 인솔해야 하는데 한 아이가 끈이 풀려서 가지 못하는 상황이 발생하면 인솔을 멈추고 신발 끈을 묶어 줘야 했습니다. 신체활동 중에 여러 아이의 신발 끈이 풀려서 묶어 주다 보면 정작 중요한 수업은 다 하지 못하거나 덜하게 되는 경우가 발생합니다. 자녀가 만 5세가 되면 부모님께서는 아이가 신발 끈 묶는 방법을 알려주기를 바랍니다. 몇 차례 차근차근 알려주다 보면 아이들은 생각보다 영리해서 잘 묶고 아이 소근육과 지능 발달에도 도움이 됩니다. 아니면 찍찍이로 마감하는 신발을 신기거나 찍찍이로 닫는 옷을 입히는 것도 좋은 방법입니다.

05. 풀칠 안전 가위

1학년 아이들 학습 내용에는 풀칠, 색칠, 오릴 일이 아주 많습니다. 이 시기의 아이들은 아직 힘이 없어서 풀칠과 가위질이 서투를 수밖에 없습니다. 외국처럼 교실에 보조교사 없이 담임선생님 혼자서 모든 아이의 학습을 감당해야 하는 구조다 보니 애로사항이 많습니다. 담임선생님이 열심히 풀칠과 가위질을 해주고 있지만, 워낙 아이들이 많아서 풀칠과 가위질을 못 해서 불안하여 울어 버리는 아이들도 있습니다. 풀칠이나 가위질하지 못해서 다음 학습으로 넘어가지 못하고 많이 배우지 못하는 상황이 발생할 수 있고, 아이가 학교생활에 주눅 들지 않도록 예방하자는 것입니다.

위에서 제안한 끈 묶는 방법 익히기와 맥락이 같은데, 유치원에 들어갈때 풀칠하는 것과 가위질하는 것을 스스로 하도록 미리 알려주실 것을 당부드립니다. 처음에는 무척 더디고 힘들어할 수 있습니다. 몇 주만 꾹 참고 잘할 수 있다고 격려해주면 잘 해내게 되어 있습니다. '나중에 학교 들어가면 잘하겠지.' 하는 생각은 버리고, 자녀가 주눅 들어서 학교생활하는 것보다 자신감을 가지고 학교생활을 시작할 수 있도록 미리 알려주자는 것입니다.

06. 우유갑 따기

1학년 담임이었을 때 아이들이 등교하는 아침부터 하교할 때까지 화장실을 가지 못했던 날들이 많았습니다. 수업 시간에는 기초 기본을 모두 익히도록 한 명 한 명 다 살피면서 가르쳐야 하고, 쉬는 시간에는 수업 시간에 학습을 못 따라 한 아이가 있으면 챙기면서 아이들이 싸우지 않고 잘 놀고 있는지 매의 눈으로 모든 촉각을 열어 놓고 아이들을 관찰하면서 화장실 보내기, 이른 아이 지도, 우유 먹이기, 이 아이 저 아이 요구 들어주기 등 창자가 타는 듯한 경험도 셀 수 없이 많았습니다. 아이들이 손에 힘이 없다 보니 우유갑 따주는 일도 담임의 몫입니다. 물론 안 따주는 선생님이 없고, 힘든 아이는 마다하지 않고 따주겠지만 입학하기 전에 미리 우유갑 따는 연습을 하고 학교에 들어오면 좋겠습니다.

급식실에 가면 다양한 음식이 나옵니다. 여러 가지 용기에 들어 있는 음식이 많이 나오는데, 작은 미니 음료를 따야 하는 일, 요플레 비닐 벗기는 일, 병뚜껑 돌려 따는 일, 바나나 귤 오렌지 껍질 벗겨서 먹어야 하는 일 등 손에 힘을 주고 해야 할 일이 많습니다. 아이가 입학하기 전에 쏟지 않게 우유갑 따는 연습, 병뚜껑 여는 연습을 미리 경험하게 하실 것을 권장합니다.

07. 용변 보고 닦기

입학한 지 한 달 정도 되었는데 아이 한 명이 화장실에서 대변을 보게 되었습니다. 그런데 한 번도 대변을 스스로 닦아 본 적이 없는 아이였습니다. 이 아이는 어린이집과 유치원에서는 선생님이 닦아주었고 가정에서는 어른들이 닦아주었습니다. 아이는 엄마가 와서 닦아주었으면 좋겠다고 말했습니다. 아이가 용변을 마쳤을 때는 수업 시간이었고 담임선생님은 화장실 문 앞에서 기다렸다가 닦아 주었습니다. 아이들이 교실에서 불안하게 담임선생님을 기다릴 것 같아서 옆 반 선생님께 우리 반 좀 한번 들어가서 봐 달라고 부탁하고 말입니다.

입학 직후에는 학교 화장실이 가정처럼 편안하지 않고 유치원처럼 변기가 작지 않고 커서 거부감과 부담을 느낄 수 있습니다. 소변은 보는데 대변은 절대 보지 않고 꾹 참는 아이들도 많습니다. 1학년 교실에서는 옷에 소변과 대변을 누는 일이 일 년 중 몇 차례 발생하고 있습니다. 이런 일이 발생할 때마다 담임선생님들은 신속하게 처리하면서 아이가 수치스러워할까, 걱정되어 누구나 그럴 수 있으니 학급 아이들에게 놀리지 않도록 놀리면 안 된다고 교육도 단단히 합니다.

백화점 화장실, 마트나 공원 화장실 등 아이가 용변 보기 불편할 수 있는 장소가 많습니다. 부모님께서는 자녀가 4~5세가 되면 함께 외출했을 때 공공장소 화장실을 거부감 없이 쓸 수 있도록 사용하는 방법과 순서를 자세하게 알려주고 익히도록 해주실 필요가 있습니다.

4학년을 담임했을 때 일입니다. 한 아이는 학교에서 대변을 안 보던 습관이 있어서 참다가 결국 옷에 싸버렸습니다. 또 수업 시작종이 울렸는데 한 아이가 보이지 않아서 확인해 보니, 쉬는 시간에 화장실에서 대변을 본다고 '냄새난대요. 똥 눈대요.' 하고 여러 명이 놀리고 화장실 문을 발로 차서 나오지 못하고 울고 있다고 알려줍니다. 그런 일이 다시는 발생하지 않도록 학급 아이들에게 교육한 적이 있습니다.

화장실은 여럿이 쓰는 공공장소입니다. 화장실 예절도 아기 때부터 가르쳐 주고, 밖에서 거부감 없이 용변을 보도록 미리미리 알려줍니다.

⇨ 메모하기

08. 스스로 약 먹기

1학년 담임했을 때 경험입니다. 아이가 알림장을 쭈뼛쭈뼛 내밀어서 읽어보니 엄마가 담임인 저에게 보낸 편지가 쓰여 있었습니다. 편지 내용을 읽어보고 아이가 왜 그렇게 담임인 내 눈치를 보면서 미안한 표정을 지었는지 짐작이 갔습니다. 엄마가 담임선생님께 약 먹여 달라는 부탁과 감사하다는 한마디를 덧붙여 썼으면 어땠을까요? 편지의 내용은 딱 한 문장 쓰여 있었습니다. '12시에 약 먹이세요.'

1학년에 입학하면 아이가 혼자서 약을 먹을 수 있도록 미리미리 알려주기 바랍니다. 입학하기 전에 유치원과 학교가 다른 점을 인지하고 아이가 스스로 약 먹는 습관을 들여 주는 것이 좋습니다. 초등학교 아이들은 면역력이 약해서 하루 한 명 이상의 아이가 약 봉투를 들고 등교합니다. 환절기가 되면 더 많은 아이들이 감기약을 가지고 와서 먹습니다.

어린이가 복용하는 약에는 알약도 있고, 물약도 있고, 시럽형, 튜브형, 드물게는 가루약도 있습니다. 약 종류에 따라 정확하게 복용하는 방법과 두 가지 약을 함께 먹어야 하면 부모님께서 뚝딱 먹여 주지 마시고, 아이가 먹어 보도록 차분하게 알려주고 지켜봐 주기 바랍니다.

유치원에는 학급 당 아이 수가 적고 돌보아 주는 선생님이 적게는 두 분, 많게는 세 분이 함께 근무합니다. 그래서 아이 약을 먹여 주는 일이 그리 어렵지 않을 수 있습니다. 그러나 초등학교는 담임선생님 한 분이 모든 아이를 챙겨야 해서 애로사항이 많습니다. 아이가 약 먹는 방법을 스스로 알고 있어야 정확하게 복용할 수 있습니다. 스스로 약 먹는 일, 용변 보고 처리하는 일처럼 작은 일부터 자신이 해야 할 일을 스스로 해낼 때 자기 주도적인 아이로 성장하는 것입니다.

⇨ 메모하기

09. 가방 챙기기

1~2학년 아이들은 책이 안 보여도 '엄마가 안 챙겨 줬어요.' 제출해야 할 것을 가져오지 못했을 때도 '엄마가 안 챙겨 줬어요.' 지우개가 없어도 '엄마가 안 챙겨 줬어요.' 무엇이든 안보이고 가져오지 않았으면 엄마가 챙겨 주지 않아서 그렇다고 핑계를 댑니다. 3학년 아이들도 엄마가 안 챙겨 줬다고 말하고, 4학년 아이 중에도 엄마 탓을 하는 아이가 있습니다.

이런 상황에서 제가 교육했던 방법은 이렇습니다. '엄마는 엄마가 하실 일이 있고 바쁜 분이니 자신의 물건을 자신이 챙겨야 한다, 나는 나를 책임져야 하니 꼭 챙겨오려고 노력해야 한다.'고 말해주었습니다. 만약 챙겨오지 못했을 때는 '선생님, 제가 제대로 챙기지 못했습니다. 다음에 잘 챙겨오겠습니다.' 진심으로 사과하는 거라고 말입니다. 이렇게 몇 주 교육하고 나니 1학년 아이들도 금세 자신의 물건을 잘 챙겨왔고 남의 탓으로 돌리거나 핑계 대지 않았습니다. 잘못을 했을 때는 진심으로 사과하는 아이들이 되었습니다.

부모님이나 선생님의 중요한 과업은 자녀나 학생을 자기 주도적인 사람으로 키워내는 일입니다. 자기 주도적인 아이는 공부는 말할 것도 없고, 물건 챙기는 것, 미루지 않고 자기 일을 끈기 있게 잘 해냅니다. 내일 학교에서 필요한 교과서, 준비물, 학용품, 제출할 것들, 조사하기, 숙제하기는 반드시 오늘 밤에 챙기도록 1학년 때부터 습관 들여 주시기 바랍니다.

　1학년 담임할 때마다 입학식 날 보호자 과제를 내주었습니다. 복도에 꽉 차게 축하해 주러 오신 엄마, 아빠, 할머니, 할아버지, 삼촌, 이모, 보호자님께 모두 교실에 들어와 달라고 말씀드리고 몇 가지 당부를 드렸습니다. '자녀가 보는데 무단횡단하지 말아 주세요, 욕하지 말아주세요 아이가 그대로 배웁니다, 실내화 신겨 주지 말고 잘 신고 있는지 지켜보기만 해주세요, 책가방에 교과서 숙제 준비물은 아이가 챙기게 지켜봐 주고 잘 챙겼는지 점검만 해주세요, 우유갑 따는 것, 끈 묶기, 풀칠, 가위질, 잘못한다고 느리다고 아무리 답답해도 한 달 동안 꾹 참고 지켜봐 주세요.' 라고 말입니다. 부모님께서 가정에서 스스로 할 수 있도록 해주셔야 학교에 와서 풀칠, 가위질, 신발을 얼른 신을 수 있습니다. 학생들이 신속하게 해줘야 오늘 배워야 할 부분, 중요한 부분을 모두 배울 수 있고, 못 배우는 일을 방지할 수 있다고 말입니다.

⇨ 메모하기

10. 학교는 좋은 곳

입학을 앞둔 유치원 아이에게 학교에 대해 겁주는 말은 하지 않고 삼가기를 바랍니다. '학교에 가면 잘해야 한다. 못하면 큰일 난다, 선생님이 무섭다.' 이런 말을 들은 아이는 입학에 대해 기쁘게 생각하기보다는 부담스럽고 두려우며 학교가 무서운 곳이 될 수 있습니다. 입학에 대한 거부감을 느끼지 않도록 학교에 가면 좋은 점과 긍정적인 말을 더 많이 해주는 것이 좋습니다. '친구들과 함께 여러 가지 재미있는 공부를 한다, 선생님이 친절하셔서 잘 가르쳐 주시고 칭찬도 많이 해주신다, 우리 ○○가 잘 해낼 거다, 조금 힘들 수도 있겠지만 의젓한 학생이 돼서 멋진 어른으로 클 것이다.'와 같이 학교는 좋은 곳이라고 말해줍니다.

    1학년 남자아이 한 명이 등교하여 교문까지 왔다가 다시 집 쪽으로 가버려서 애를 먹이는 아이가 있었습니다. 여자아이 한 명은 교문까지는 들어오는데 화단 벽에 앉아서 교실로 들어가지 못하고 엉엉 큰 소리로 울어서 전교생이 다 알았고 엄마가 매달려서 타이르고 담임선생님을 물론 교장 선생님, 교감 선생님까지 아이를 교실로 들여보내려고 애썼으나 1주일이 지나도 잘 안되어, 수석교사인 제가 나섰습니다. 우선 화단으로 가서 아이와 얼굴을 익히고 레포가 쌓인 다음 수석실로 데리고 와서 동화를 읽어 주고 교실에서 이루어지는 기본 교육을 해주면서 칭찬을 듬뿍하였습니다. 아이가 마음을 열고 '학교 선생님은 잘못하면 무섭대요, 무조건 잘해야 한 대요.'라고 말합니다. '담임선생님은 잘 웃으시고 친절하시다, 칭찬도 많이 하신다.'고 말해주면서 교실이 궁금하게 만들었습니다. '교실에서 선생님과 친구들이 너를 무척 기다린단다, 친구들이 무엇을 재미있게 하는지 잠깐 보고 다시 올까?' 한 달 만에 교실로 갔고 그 후 무엇이든 잘 해내서 이제 6학년이 되었습니다.

⇨ 메모하기

2. 학습은 이렇게 도와요

자기 주도적 학습 비결은
기본적인 습관에서 시작됩니다!

01. 그리지 않고 쓰는 글씨

세 살 버릇 여든까지 간다는 속담이 있습니다. 글씨는 자음자와 모음자로 쓰는 순서가 정해져 있습니다. 자음자와 모음자를 순서에 맞게 쓰는 것이 글씨를 잘 쓰게 하는 비결 중에서 으뜸입니다.

글씨를 잘못 쓰거나 글씨 쓰는 것을 힘들어하는 아이들을 보면 대체로 글씨 쓰는 순서가 바르지 못한 경우가 많습니다. 6학년도 1학년도 글씨 쓰는 순서가 바르지 못해서 열심히 알려주면 그때뿐, 다음에 보면 순서가 바르지 않게 쓰고, 또 글씨를 쓰는 것이 아니라 그리는 아이들도 많습니다.

한글 교육 강화로 1학년 1학기 국어 시간 대부분 자음자 익히기 모음자 익히기 낱말과 문장까지 마치게 됩니다. 입학 전부터 글자를 익히고 들어온 아이들이 많은데 글자를 순서에 맞게 제대로 쓰는 아이는 드물고 대부분이 그리거나 순서가 맞지 않게 쓰는 아이가 많습니다. 글자를 잘 쓰는 방법과 비결은 다음과 같습니다.

첫째, 자음자와 모음자가 순서에 맞게 위에서 아래로 왼쪽에서 오른쪽으로 쓰도록 습관 들여 주기;

둘째, 글자 크기가 모두 같고 반듯하게 쓰기 위하여 노력하도록 부모님과 선생님이 지속적으로 살펴줍니다.

02. 몽당연필은 버리고

아이들은 몽당연필로 글씨 쓰는 것을 무척 좋아합니다. 어린 학년으로 갈수록 몽당연필로 글자를 쓰는 아이들이 많은데, 1 학년이 가장 많고 그다음은 2학년 학생들입니다. 고학년에도 몽당연필에 애착을 갖는 아이들이 많습니다. 몽당연필은 손에 쥐었을 때 금방 손 근육이 아파서 글씨를 반듯하게 쓰지 못하고 삐뚤어지게 쓰거나, 오랫동안 글씨를 반듯하게 쓰기 힘들어집니다. 글씨 쓰는 것이 버거운 저학년이나 끈기가 부족한 아이들은 손이 아파서 글씨 쓰기를 싫어하게 됩니다.

몽당연필은 과감하게 버리거나 어른이 쓰도록 하고 키가 크고 긴 연필을 쥐고 쓰도록 해줍니다. 연필 끝의 심을 너무 가늘거나 뾰족하게 깎아서 쓰면 자꾸만 부러지게 됩니다. 연필심을 살짝 굵게 뭉툭하게 해서 부러지지 않도록 합니다. 연필은 집에서 4~5자루 깎아서 보냅니다. 수업 시간에 연필을 깎으러 나가서 수업을 못 받거나 피해를 주지 않도록 합니다.

샤프 연필도 과감하게 쓰지 않게 지도합니다. 샤프는 심이 아주 가늘어서 잘 부러지고 미끄러져서 반듯하게 쓰는 것을 방해합니다. 샤프심을 꺼내서 장난치느라 수업에 집중하지 못하는 학생도 있습니다. 샤프는 집에서 그림을 그리거나 세밀한 표현을 할 때 쓰도록 합니다.

03. 발음을 명확하게

말 표현은 인간관계의 기본적이면서 아주 중요한 의사소통 수단입니다. 말하는 내용과 말하는 솜씨를 보면 그 사람의 실력과 인품을 알 수 있습니다. 말하는 내용의 수준과 솜씨는 학교에 가서 갑자기 좋아지지 않습니다.

명확하지 않은 발음으로 말하는 아이가 있어서 도움이 필요합니다. 발음이 명확하지 않은 아이들은 자신감이 없어서 소리조차 작게 말합니다. 어린 학년으로 갈수록 발음이 명확하지 않은 아이가 많은데 원인은 첫 째, 말을 배울 때 어른의 적극적인 역할이 미흡했거나, 둘째, 2020년부터 3년간 암울하고 참담한 코로나를 겪는 동안 마스크를 껴서 입 모양을 보지 못하고 말을 배운 까닭입니다. 낱말의 받침 발음이 나오지 않는 아이, 혀가 짧게 발음하는 아이, 외계어처럼 알아듣지 못하게 말하는 아이도 있어서 검사와 언어 전문 치료가 필요합니다.

아이가 한참 말을 배울 때부터 초등학교 2학년까지는 어른들께서는 입 모양을 보고 말할 수 있도록 하고, 명확한 발음으로 말해줘야 합니다. 아이가 답답하지 않게 약간 큰 소리로 말해주는 것이 좋고, 읽거나 따라 말하는 기회를 의도적으로 만들어 주고 반복해서 말해 줍니다.

04. 문장으로 말하게

1학년 아이들과 자신이 겪은 일 말하기, 쓰기 수업을 하였습니다. 육하원칙이 들어가게 말하고 육하원칙이 들어가게 글을 쓰고, 거기에 겪은 일에 관한 생각, 마음, 느낌을 추가하여 표현하도록 단계적으로 지도하였습니다. 1학년 전체학급 학생들 거의 다 들어가야 할 요소를 넣어서 제법 잘 쓰고 말해서 무척 보람되고 기뻤으나 몇 명은 잘 못하여 속상했습니다. 평소 학생들과 생활하면서 느낀 점은 1학년인데 또박또박 자기 생각을 문장으로 말하는 아이가 있고, 6학년인데도 낱말만 말하는 아이, 작은 소리로 얼버무리는 아이가 있습니다. 평생 자신이 알고 있는 것 자기 생각을 말해야 하는 일이 셀 수 없이 많은데 제대로 말하지 않는 아이들을 보면 걱정스럽습니다.

자녀가 어리면 짧은 문장으로 표현하도록 시범 보여주시고, 조금씩 문장의 길이를 늘여서 표현하도록 합니다. 어릴 때부터 어떤 일에 대한 아이의 생각, 마음을 말하도록 매일매일 들어주면 좋겠습니다. 부모님의 마음이나 생각도 문장으로 들려줍니다. 물론 위에서 제안한 똑똑하고 명확한 발음으로 말입니다. 언제였고, 누구랑 있었고, 무슨 일이 있었는지, 어떻게 하였는지 자세하게, 어떤 생각이 들었는지도 구조화하여 말하도록 하면 아이들은 더 잘합니다.

05. 무엇을 배웠는지

오늘 하루 학교에서 무엇을 배웠는지 꼭 한 번은 물어봐 주기 바랍니다. 공부 내용도 좋고, 친구들과 관계도 좋고, 가장 기억 나는 일, 속상하거나 후회되는 일도 좋습니다. 아이가 말하지 않는다고 잘하고 있겠거니 하지 말고 아이가 요즘 무엇을 배우는지, 무슨 생각을 하고 사는지, 걱정거리는 없는지, 어려움은 없는지, 가족 중 한 사람이라도 대화하기를 바랍니다. 그래야 아이에게 필요한 조치를 해줄 수 있어서 문제가 누적되지 않고 잘 자랍니다.

우리나라 초등학교에서 배우는 교육 내용은 분량이 많고 어렵습니다. 1학년에서 배우는 수학 받아내림과 받아올림이 있는 덧셈과 뺄셈 부분에서 어려움을 겪고, 올림과 내림을 극복하지 못하면 이때부터 이미 학습 부진이 오게 됩니다. 담임선생님이 열심히 가르쳐주고, 부모님께서 일 대 일 확인하는 것이 가장 효과적입니다.

오늘 무엇을 배웠는지 물어봐 주시고 특히 어려웠던 교과나 내용은 부모님이 개입해서 알려주거나 지도해야 합니다. 부모님의 일과로 루틴이 되셔서 매일 오늘 배운 내용을 점검하는 습관과 함께 복습하는 습관을 들여 주셔야 자기 주도적인 학생으로 성장할 수 있습니다.

06. 숙제는 꼭 하는 것

자녀에게 숙제가 있으면 반드시 그날 하는 습관을 들여 주기 바랍니다. 앞의 페이지에서 오늘 자녀가 무엇을 배웠는지 부모님의 점검이 필요하다고 제안하였습니다. 학교에서 내준 과제가 있는지 확인하는 일을 3~4학년까지 멈추지 않아야 아이가 스스로 과제 하는 습관이 듭니다.

아이가 1~2학년인데 자기 주도적으로 해내는 아이가 있고, 5~6학년인데도 자신의 할 일을 소홀히 하는 학생이 적지 않습니다. 숙제를 미루지 않고 스스로 하는 것은 자기 주도적으로 학습하는 아이로 길러 줄 수 있는 중요한 습관입니다. 또 숙제를 스스로 하는 것은 책임 있는 사람, 성실한 사람으로 길러지는 중요한 과정입니다.

요즘에는 방학 숙제가 거의 없어지고, 평소 숙제 내주는 일도 많지 않습니다. 숙제를 내줄 때는 다음 학습에 필요한데 시간이 부족할 때 어쩔 수 없이 내줍니다. 숙제하는 습관을 길러 떳떳하고 자기 주도적인 아이로 길러 주시고, 수업 시간에 어려움 없이 학습을 수행할 수 있도록 응원합니다. 숙제를 하지 않으면 모둠 친구들에게 피해를 줄 수 있고, 스스로 떳떳하지 못하고 불성실하여 학습이 부진한 아이로 자존감이 낮은 아이로 자랄 수 있습니다.

07. 생각할 시간을

자녀에게 생각하는 힘을 길러 주기 바랍니다. 생각하는 힘이 있어야 말하는 힘이 있고 말하는 힘이 있으면 쓰는 힘은 저절로 생깁니다. 자녀에게 무엇인가 물어보았거나 질문을 하고 나서 바로 말하지 않으면 답답해하고 다그치지 말고, 생각하도록 기다려 주고 대답을 듣도록 합니다. 어른들 중에 아이에게 물어보지도 않고 자신의 생각을 나열하거나 물어는 보았는데 대답을 기다려 주지 않고 먼저 생각을 나열했다면 개선해야 합니다. 서로 이야기를 주고받고록 합니다.

아이에게 충분히 생각할 시간을 줘야 차근차근 생각하고 자기 생각을 말하게 됩니다. 자신이 생각한 것을 침착하게 또박또박 자세하게 말하다 보면 말하는 솜씨가 좋아질 수밖에 없습니다. 자신이 생각하고 말한 것을 그대로 글로 나타내면 글 쓰는 솜씨 또한 잘할 수 있게 됩니다.

아이에게 질문할 때도 엄마 생각을 먼저 말하기 전에 '○○는 어땠어?, ○○에 대해 네 생각은 어떠니? 하고 부드러운 말투로 물어봐 주고 따뜻한 눈빛으로 미소 짓고 대답을 천천히 기다립니다. 아이의 대답을 충분히 들어주고 가끔은 문장으로 고쳐 말하는 것도 알려주면 아이는 생각하고 말하고 쓰는 표현이 점점 더 풍부해집니다.

08. 매일 읽는 습관

제가 지은 책 《책 읽고 재잘재잘》을 읽어보길 권장합니다. 이 책에는 아이에게 책을 제대로 읽히고 생각을 나눌 수 있는 여러 가지 방법이 제시되어 있습니다. 읽는 것은 생각하는 힘과 말하는 힘 쓰는 힘까지 길러 주는 가장 기본적이면서 중요한 학습입니다. 자녀가 아기때부터 매일 한 차례 책을 만지고 책을 읽고 책과 놀 수 있도록 해주시면 자녀 공부에 큰 도움이 됩니다. 책은 재미있는 물건이라는 인식을 갖게 합니다.

아이들을 데리고 도서관에 가면 책 읽는 습관이 들은 아이는 한 권을 얼른 골라서 몰입하여 읽습니다. 책 읽는 습관이 잡히지 않은 아이들은 책이 얼마나 재미있고 유익한 물건인지 모르기 때문에 이 책, 저 책, 빼보고 다시 꽂아 놓기를 반복하다가 한 시간이 끝나 버립니다.

아이가 스스로 읽어야만 좋은 수업을 할 수 있습니다. 빠트리지 않고 즐겁게 읽은 아이는 수업 시간 내내 생각을 말하고 신나서 수업에 참여합니다. 읽지 않는 아이는 내용을 모르니 재미가 없고 배움에 지장을 줍니다. 읽기를 시키면 눈은 책을 바라보고 있는데 읽지 않고 읽는 척하는 학생이 여럿 있습니다. 빠트리지 않고 읽어야 생각하고 이야기를 나누며 배움을 확장해 갈 수 있습니다.

09. 바둑알 덧셈과 뺄셈

학습부진아는 언제부터 발생할까요? 엄마 아빠는 3학년을 지나 4학년쯤 따라가지 못해서 발생한다고 생각합니다. 자녀가 5학년에 올라가면 학습 내용이 갑자기 어려워져서 못 따라갈까 염려되어 학원을 보내기 시작합니다.

학습부진아는 1학년 1학기에 이미 발생합니다. 1학기에 자음자와 모음자를 합하여 글자를 익히고 낱말과 문장을 쓰거나 읽지 못할 때부터 국어 부진아가 발생합니다. 국어 부진아는 문해력과 깊은 연관이 있어서 다른 과목도 부진한 결과를 가져올 수 있어서 주의해야 합니다. 수학은 1학년 2학기 덧셈과 뺄셈, 받아올림과 받아내림을 이해하지 못하면서 부진이 발생합니다. 부진이 발생하지 않게 예방하는 것이 중요합니다.

아이와 놀아 줄 때 수 세기와 덧셈, 뺄셈 놀이를 할 수 있습니다. 아기가 좋아하는 쿠키나 비스킷, 고래밥 같은 동물 모양 과자도 좋습니다. 칩, 공깃돌, 바둑알 같은 장난감 도구도 수 놀이 하기 좋습니다. 아이는 재미있게 놀거나 맛있게 먹으면서 알아채지 못하지만 수 놀이나 덧셈, 뺄셈 놀이를 자연스럽고 즐겁게 학습하는 방법입니다.

아기가 좋아하는 과자를 꺼내서 먹일 때 하나, 둘, 셋하고 숫자만큼 꺼내면서 수를 말해주고 수 개념을 익히게 합니다.

아기가 따라 하지 않더라도 자연스럽게 반복하여서 들려줍니다. '이건 공부하는 거야.'라는 말은 하지 않도록 삼갑니다. 4~5세가 되면 '하나 먹었고 또 하나 먹으면 두 개를 먹었네.' '세 개가 있었는데 하나를 먹어서 몇 개가 남았을까?' 이런 식으로 놀이하듯 구체물을 가지고 수 개념과 크기를 익혀 주기 바랍니다.

유치원이나 1학년 아이에게 덧셈식 뺄셈식 문제를 여러 페이지 풀게 하는 부모님이 있다면 바로 중단하고 구체물 놀이로 대신 하기 바랍니다. 종이에 써진 식을 보고 푸는 것은 한 자릿수 덧셈과 뺄셈까지는 가능하나 받아올림과 받아내림 문제부터는 구체물 조작을 하면서 즐겁게 재미를 느끼게 하면서 이해하게 해야 지치지 않고 구구단, 곱셈, 나눗셈, 분수와 같이 단계적 학습이 가능해집니다.

1학년 아이와 바둑알을 가지고 10이 되는 더하기, 10을 만들어 더하기와 (십몇)-(몇)=몇 계속 반복하여 놀이하게 합니다. 2학년에서는 바둑알을 두 개씩, 두 개씩 놓아보는 놀이로 2의 배수 즉 2단의 원리를, 세 개씩, 세 개씩 놓아보는 놀이로 3의 배수 즉 3단의 원리를 이해하도록 합니다. 2학년 구구단의 원리를 배우고 바로 다음 후속 학습 단계가 3학년 나눗셈하기입니다. 2학년에서 구구셈의 원리를 알지 못하면 3학년에서 나눗셈을 하지 못하게 됩니다.

10. 수업을 방해하는 물건

저는 수석교사로 우리 학교 전체학급에 들어가서 수업합니다. 수업 시작하기 전에 수업에 방해되는 모든 물건을 치워달라고 부탁하고 수업합니다. 손장난이나 가지고 온 물건을 만지작거리지 않도록 하고 집중해서 배우라는 말도 잊지 않고 합니다. 그러나 잠시 후면 손 뜯는 아이, 손 만지는 아이, 지우개 토막 내는 아이, 연필 깎는다고 들락거리는 아이, 손거울을 아예 책상에 놓고 계속 얼굴을 바라보는 아이, 커다란 애착 인형을 가지고 와서 내내 쓰다듬는 아이, 수업을 중단하고 치우게 한 다음 집중하게 하고 가르칩니다. 5~6학년 아이들도 5분을 참지 못하고 또 만지작거리는 아이들이 늘어갑니다.

수업을 방해하는 물건을 학교에 가져가지 않도록 신경 써 주시기 바랍니다. 자녀가 좋아하는 물건은 집에서 충분히 만지고 놀게 하고 학교에 가져가지 말라고 지도해 주셔야 합니다. '학교에 가져가서 쉬는 시간에만 가지고 놀겠지.'하고 안심하실 수도 있을 텐데, 그렇지 않습니다. 장난감, 과자, 손 선풍기, 손거울, 담요, 큰 인형, 손난로, 레고, 로봇, 거울, 가방 장식물 등 아이들은 생각보다 많은 물건을 가지고 와서 책상 위에 잔뜩 꺼내놓고 수업 시간에 만지작거려서 배움을 방해할 때가 무척 많습니다.

필통 속을 보면 안전하지 못하고 수업을 방해하는 물건들이 들어 있어서 부모님께서 함께 지도해 주시면 안전과 배움을 위해서 좋습니다. 컴퍼스, 커터 칼, 여러 개의 지우개, 작은 인형, 뾰족 가위, 몽당연필, 샤프심, 스티커, 립밤이나 화장품 등 수업을 방해하는 물건을 학교에 가져가지 않도록 집에서 충분히 만질 수 있도록 허용합니다.

컴퍼스는 원 그리기가 끝나면 집에 보관하고, 뾰족 가위는 안전 가위로 바꿔서, 칼은 아예 집에서도 만지지 않도록 합니다. 요즘 들어 커터 칼로 자해하는 초등학생들이 점점 늘어나고 있습니다. 샤프에 대한 언급은 앞에서 알려 드렸으니 샤프와 샤프심은 집에서만 쓰는 것으로 약속해 주시고 수업을 방해하는 모든 물건을 가방에 넣어서 학교에 오는 일이 없도록 자주 점검합니다.

3. 좋은 습관을 길러줘요

좋은 습관은

세 살부터 들여줘야 합니다!

01. 짜증 난다는 말은

짜증 난다는 말은 부모님께서도 아예 표현하지 않도록 합니다. 아이들이 짜증 난다는 말을 하루 동안 셀 수 없이 많이 합니다. 짜증 난다는 말을 들으면 듣는 사람도 불쾌하고 정확한 감정을 알 수 없어서 도와주기 어렵습니다. '○○해서 화가 난다, ○○해서 슬프다, ○○해서 답답하다, ○○가 별명을 불러서 밉다. 별명을 안 불렀으면 좋겠다.' 이런 식으로 아기가 말을 배울 때부터 부모님이 마음을 정확하게 표현하며 말해야 아이도 감정 표현을 배웁니다.

아이들에게 언어지도는 무척 중요합니다. 언어지도가 잘 이루어지면 신체 폭력은 일어나지 않습니다. 신체 폭력의 원인과 출발은 대부분 말을 함부로 해서 일어납니다. 별명을 부른다던지, 욕, 비하 말, 비난 말, 거칠고 퉁명스러운 말 보다 지금 드는 마음을 세련되게 표현하는 방법을 알려 줍니다. '비키라고', '저리 가라고', 표현보다는 '지나가고 싶은데 비켜 줄 수 있겠니?'라고 세련되게 말하도록 합니다.

말에는 큰 힘이 있습니다. 나쁜 말은 깊은 상처를 줍니다. 상처 주는 말, 나쁜 말을 하는 사람은 결코 좋은 사람이 아닙니다. 칭찬 말, 격려 말을 하는 사람은 좋은 사람입니다. 말만 들어도 그 사람의 됨됨이를 알 수 있습니다.

02. 작은 허용은 공격성

3학년 담임할 때 모두 하교시키고 한참 지났는데 운동장에서 아이 한 명이 얼굴에 피범벅이 되었습니다. 빨리 119 구조대가 와서 싣고 보건 선생님이 보호자로 아이와 함께 병원으로 이송되었습니다. 가해 아이를 불러다 어찌 된 일인지 물었습니다. 아이의 말에 교무실에 있던 선생님들 모두 경악하였습니다. '아빠가 지고 오면 절대 안 된다고 했어요, 돌멩이로 얼굴을 찍어서라도 이기고 오랬어요.' 티격태격 친구와 다툼이 벌어졌는데 아빠가 말 한대로 가해 아이는 피해 아이의 얼굴을 돌멩이로 찍어 버린 것입니다.

아빠와 상담하는 과정에서 '저는 직업이 군인이라서 그런지 지고는 못 삽니다. 제가 지고 오면 안 된다, 돌멩이로 찍어서라도 이기고 와야 한다.'라고 말했습니다. 그런데 정말 얼굴을 찍을 줄 몰랐습니다.' 아빠는 관용적 표현을 쓴 것인데 아이는 직관적으로 알아들은 것입니다. 신체 폭력은 어떤 경우에도 절대로 안 된다고 아빠께서 먼저 주의하고 아이에게 단호하게 교육해야 한다고 말씀드렸습니다.

'친구가 세 대 때리면 그때는 너도 맞지 말고 때려 줘.' 이렇게 말하는 엄마 아빠, '절대 지고 오면 안 돼, 친구가 때리면 너도 맞지 말고 때려줘.'라고 말하는 할머니 할아버지, 이렇게 말하면 아이는 이미 폭력을 허용한 것으로 받아들입니다. 이 글을 읽는 부모님과 선생님께서는 어떤 경우에도 신체 폭력을 해서는 안 된다고 단호하고 일관성 있게 가르치셔야 합니다. 왜냐하면 아이들은 유혹에 약하고 어려운 쪽이 아닌 편하고 쉬운 쪽을 선택하기 때문입니다.

친구의 신체를 함부로 하거나 밀거나 해서 친구가 괴롭다고 하소연하면 많은 아이들이 장난이었다고 말합니다. 줄 세울 때 앞으로 밀리는 척하면서 앞의 아이를 일부러 치고 밀고 하는 것도 목격됩니다. 앞의 아이가 괴로워서 싫은 표현을 하면 뒤에서 밀어서 자기 잘못 아니라고 말합니다. 남의 몸은 함부로 하면서 자신의 똑같이 당하면 절대 참지 못합니다.

아이에게 '다른 친구의 머리카락 한 올도 아예 만지지 말라, 후드 모자나 옷을 잡아당겨서도 안 된다, 몸에 손대면 안 된다.'라고 신체접촉 금지 교육을 해야 합니다. 작은 신체 접촉이 큰 신체 폭력을 낳을 수 있습니다.

⇨ 메모하기

03. 아이 정서적 안정을

정서는 아이가 환경이나 상황에 대하여 느끼는 인식으로 여러 가지 반응으로 나타납니다. 몸으로 접근하거나 회피하는 행동, 노여움, 두려움, 기쁨, 슬픔과 같이 마음에서 일어나는 감정도 정서에 포함할 수 있습니다. 학교에서 많은 아이와 여러 가지 공부하다 보면 이런저런 상황이 벌어지게 마련인데 아이마다 각각 다른 형태의 정서가 나타나는 것을 볼 수 있습니다.

종일 정서가 불안한 아이가 있는데 공부에 거의 집중하지 못하고 산만합니다. 또 친구들과 진득하게 놀지 못하고 작은 일로 다퉈서 원만한 친구 관계가 어렵습니다. 행동도 불안하게 나타나는데 차분하지 않고 서두르며 짧은 거리도 동동거려서 다칠까, 걱정스럽습니다.

과거로 거슬러 갈수록 대부분 너그럽고 안정되어 정서가 풍부한 아이들이 많았는데 요즘 들어 갈수록 정서가 불안해 보이는 아이들이 늘어나고 있습니다. 정서 불안 요인으로 부모님의 잦은 다툼이 가장 큰 영향을 끼치고, 다그치는 스타일의 부모님, 실수했을 때 이해받거나 가르침 받지 못하고 야단만 호되게 받을 때도 아이들은 불안합니다. 부모님께서는 아이의 정서가 불안하지 않도록 노력할 필요가 있습니다.

04. 예의는 부모님 먼저

신규 선생님 교직 적응 메토링 도중 아이들이 버릇없게 굴 때 무척 힘들다고 지도 방법을 제게 물어봅니다. 한번은 급식실에서 구슬 아이스크림이 나왔는데 아이 한 명이 자기 것을 먹고 담임선생님 식판에 놓여 있는 아이스크림을 가져가며 '선생님은 안 먹어도 되죠? 내가 먹을래요.' 하며 가져가서 먹어 버리더랍니다. 그 아이는 몇 주 전에 짜 먹는 요플레가 나왔을 때도 같은 행동을 해서 당황스러웠고 어떻게 지도해야할지 몰라서 그냥 넘어갔다고 말씀하셨습니다. 저는 지도하는 방법과 내용을 알려 드렸고 며칠 후 지도 잘하셨다고 알려주셨습니다.

내가 먼저 다른 사람을 존중하는 말과 행동을 해야 존중받을 수 있습니다. 자녀가 다른 사람으로부터 존중받을 수 있도록 아기 때부터 예의를 가르쳐 주기 바랍니다. 가장 효과적인 방법은 부모님께서 매사에 예의 있는 말과 행동을 하면 저절로 보고 배우게 됩니다. 아이는 부모의 눈빛, 말투, 억양, 인사 나누는 행동, 분위기까지 그대로 리모델링 됩니다. 부모님께서는 의도적이고 모범적인 예의를 보여 줍니다. '학교에 가서 배울 거야, 크면 잘하겠지.' 하면 늦습니다. 예의는 아주 천천히 몸과 마음에 배어듭니다.

05. 졸지 않도록

어느 날 6학년 수업을 들어갔는데 두 시간 내내 아예 자버린 아이가 한 명이 있고, 졸다가 깬 아이가 두 명이 있었습니다. 다른 아이들은 모둠 친구들과 토론하면서 〈화성성역의궤〉에 대하여 열심히 추론하며 즐겁게 배우고 있는데 졸은 아이들은 아까운 수업 시간을 날려 버렸습니다. 아무리 깨워도 눈꺼풀이 세상에서 제일 무겁다는 듯, 수업 참여하지 못했습니다. 담임 선생님도 상습적으로 조는 아이들 때문에 걱정이 많았습니다.

내 자녀가 공부 시간에 습관적으로 졸고 있다면 어떤 생각이 들까요? 어쩌다 한 번 조는 것은 그럴 수 있습니다. 공부 시간에 조는 아이들이 많게는 학급에 서너 명 이상, 적게는 한두 명이 상습적으로 졸아서 부모님의 관심과 노력이 필요합니다. 코로나 직후에는 학교 나오는 날이 적다 보니 늦은 밤까지 휴대전화기 영상을 보느라고 학교에서 수업 시간에 조는 아이들이 많았는데, 코로나가 끝나고 대면 수업이 지속되면서 조는 아이가 많이 줄어들었으나 여전히 조는 학생이 있습니다.

조는 아이들은 많이 배울 수가 없어서 학습과 배움에 지장을 줄 뿐만 아니라 담임선생님으로부터 지도, 친구들의 비난이 있을 수 있고, 잠을 못 잤으니 신경이 날카로워져 있어서 종종 다툼으로 이어지기도 해서 담임선생님은 부모님과 협력해서 얼른 개선해 주어야 합니다.

　부모님께서는 자녀가 하루에 휴대전화기 사용 시간이 몇 시간인지 점검하실 필요가 있습니다. 부모님이 잠든 것을 확인하고 이불을 뒤집어서 쓰고 휴대전화기를 두 세시 넘겨 새벽까지 하는 아이도 있습니다. 자녀가 휴대전화기를 가지고 어떤 내용을 이용하는지도 관심을 가져야 합니다. 긴 시간 게임에 몰두하는지, SNS를 이용하는지, 카톡방에서 다른 친구들과 뒷담화하는지, 폭력 동영상이나, 노출 동영상을 보는지 말입니다. 정보통신윤리를 지키는 교육도 하시고, 밤이 되면 휴대전화기를 부모님께서 맡아 주시는 것도 권장합니다.

　저학년 성장기 아이들은 잠을 충분하게 자도록 10시 이전에 재우고, 사춘기 4~6학년 아이들은 가급적이면 11시 이전에 재우는 것이 좋습니다. 성장 호르몬 분비가 11시경에 왕성하게 분비되었다가 멈추기 때문입니다. 사춘기 아이들이 잠을 충분히 자야 성장과 정서에 도움이 되고 학습 집중력도 높아집니다. 특히 월요일 오전에 무척 피곤해하고 조는 아이들이 많으니 일요일 저녁에는 일찍 잠자리에 드는 습관을 들여주시기를 바랍니다. 중학생과 고등학생도 잠을 충분히 자고 공부하는 문화가 빨리 되었으면 하는 마음 간절합니다.

06. 인성 좋은 아이로

'인성도 실력이다.'라는 말이 있습니다. 인성은 말의 뜻 그대로 사람의 성격을 말합니다. 사람은 화가 날 때, 힘든 일에 직면했을 때, 어려운 일이 닥쳤을 때, 그 사람의 됨됨이 즉 인성이 드러납니다. 화가 날 때, 힘든 일을 해야 할 때, 어려운 일이 벌어지고 말았을 때 주변 친구들을 힘들게 하지 않고 긍정적인 마음으로 웃으면서 해결하는 아이가 있고, 화가 나면 친구에게 화풀이하고, 힘든 일과 어려운 일은 미루거나 포기해 버리는 아이도 볼 수 있습니다. 자신의 기분이 좋지 않다고 친구에게 심술부리는 아이도 있고, 친구에게 상습적으로 화풀이를 하거나 함부로 대하는 아이도 있습니다.

작년에 중학교에 들어간 제자 사랑이는 너무나 예쁜 아이입니다. 사랑이는 정말 인성이 좋은 아이여서 사랑이만 떠올리면 저절로 웃음이 나옵니다. 사랑이는 키가 크고 어린이 연예인 같은 외모를 하고 늘 웃으며 친구들 누구와도 친절하게 지내서 인기가 많았습니다. 학기 초에 베트남에서 한국어를 아예 할 줄 모르는 아이가 전학을 왔습니다. 고민 끝에 짝으로 사랑이를 앉혔습니다. 사랑이는 일년내 변함없이 다문화 친구가 불편함이 없도록 도와줘서 빠르게 적응하여 우리 말도 잘하고 학습도 제법 잘해서 중학교에 나란히 입학했습니다.

부모님께서는 자녀가 인성 좋은 아이로 자랄 수 있도록 부모님부터 마음의 여유를 가지고 아이를 대해야 합니다. 아이는 늘 부모를 보고 있고, 부모가 말하는 대로, 행동하는 대로 따라 한다는 것을 기억하시고, 부모님께 화가 나는 일이 발생하면 화부터 벌컥 내지 말고 차분하게 해결하는 과정을 보여 주셔야 합니다. 힘든 일, 어려운 일이 발생하면 가족들과 이야기 나누기를 하고 가장 좋은 해결 방법을 찾아 해결해 가는 모습도 보여 줍니다.

인성 좋은 아이는 친구들과 잘 어울려서 행복한 삶을 살고, 어울리지 못하는 아이는 외톨이가 되어 괴롭고 불행한 삶을 살게 됩니다. 부모님께서는 자녀가 유아기부터 동네 아기들과 어울려 놀게 하시고, 서로의 집에 초대하여 나누고 배려하고 양보하는 태도를 길러 주어서 인성 좋은 아이로 자라도록 뒷바라지해 주시기를 바랍니다. 외동이라면 어울리는 기회를 더 많이 만들어 줍니다.

⇨ 메모하기

07. 대화는 아기 때부터

저에게 담임선생님으로부터 SOS가 왔습니다. 저는 교실로 올라가서 분노 조절이 안 되는 아이의 손을 잡고 저의 방으로 왔습니다. 아이가 화가 나서 수업 진행을 할 수가 없고 학급 아이들은 학습권 침해가 일어나고 있는 상황이 발생하면 가끔 힘든 아이를 저의 방으로 데려오는 경우가 있습니다. '○○가 왜 화가 났을까? 왜 화가 났는지 말해줄래?' 바로 대답하는 아이는 거의 없습니다. '수석 선생님이 기다릴 테니 말하고 싶을 때 하렴.' 5분에서 10분 정도 기다려 주면 왜 화가 났는지, 친구들에게 무엇을 잘못했는지, 앞으로 어떻게 할 건지 다 말하고 교실로 가서 공부하겠다고 올라갑니다.

아이가 생각을 말하지 않는 경우가 많아서 부모님도 선생님도 아이도 답답하고 해결은 되지 않고 난감한 경우가 많습니다. 대체로 우리나라 사람에게 부족한 대화 기술, 생각이나 마음을 말하는 것이 서툰 이유는 아기 때부터 제대로 대화를 해보지 않아서 그렇습니다. 어른들은 아이에게 대답할 시간도 주지 않고, 대답도 듣지 않은 채 자신이 묻고 자신이 대답하는 경우가 허다합니다. 또 엄마나 아빠의 생각을 일방적으로 몰아붙이는 경우도 많습니다. 이런 방식이 지속되다 보면 대화는 전혀 이루어지지 않고 아이는 점점 마음의 문을 닫아 버리게 됩니다.

어렸을 때는 크게 느끼지 못하겠지만 사춘기가 되고 청소년이 되면서 부모와 자식 간에 대화가 아예 단절되어 버리고 마는 경우가 생깁니다. 자녀의 문제나 고민, 진로 등 정작 대화는 이때부터 해서 해결하고 도와줘야 하는데 말입니다. 자녀와 토의나 토론한다는 생각으로 물어봐 주고, 생각할 시간을 주고, 대답할 준비가 되면 충분히 들어주고, 엄마나 아빠의 생각도 덧붙여 알려주고, 이 과정이 반복되는 것이 대화입니다.

아빠보다는 비교적 엄마와 자녀가 더 밀접합니다. 자녀와 엄마와의 대화는 초등학교 중학년까지가 적합합니다. 왜냐하면 엄마와는 생활지수 정도의 대화가 주로 이루어지기 때문입니다. '그래서 이 문제 어떻게 할 건데, 근데 너 점심밥은 먹었니?, 그 옷 더러워서 빨아야겠다.' 이런 식으로 생활지수 대화로 빠져들어 버리는 경우가 많다는 것입니다.

자녀가 5~6학년부터 사춘기를 맞이하면서 복잡한 문제를 해결할 때는 아빠가 나서서 자녀와 진지한 대화를 나누는 것이 효과적입니다. 아빠들은 엄마보다 자녀와 자주 접하지 못하기도 하고 아버지로서 권위가 있습니다. 자녀의 생각을 차분하게 들어 주고 나서 자녀가 미처 생각하지 못하는 문제나 해결방법을 논리적으로 나열합니다. 엄마가 무엇을 걱정하는지도 넌지시 알려줍니다.

자녀와 부모님과의 대화는 엄마가 감당할 부분과 아빠가

감당할 부분, 함께 나눌 부분 등 전략적으로 이루어져야 합니다. 중요한 것은 어느 날 갑자기 '대화하자.'라는 것이 아니라 아기 때부터 대화가 이루어져야 문제에 직면했을 때 원활하게 나누고 해결할 수 있습니다.

08. 공부하는 날은 학교

2학년 어느 반 국어 수업 2시간을 하게 되었습니다. 그런데 아이들 네 명이 보이지 않습니다. 2학년 2학기 말, 중요한 단원 내용을 잘 배워야 3학년 올라가서 문단, 중심 문장, 뒷받침 문장 등 어려운 내용을 이해할 수 있는데, 특별히 친하게 지내는 엄마 넷과 아이 넷이 체험학습을 가서 배우지 못하는 상황이 벌어진 것입니다. 좀 속상하기는 했지만, 다행이 내일 수업이 들어 있어서 오늘 배운 내용을 복습해 주고 시작해야지 생각했습니다.

다음날이 되었습니다. 아이 넷은 두 시간 내내 자꾸 엎드리고 교과서 몇 쪽을 펴라고 여러 차례 말해도 하품을 하며 멍하니 있습니다. '어제 ○○월드에서 아주 신나게 놀았더니 너무 피곤해요.'라고 말합니다. 부모님께 당부드리고 싶은 말은 자녀가 등교하는 날은 학교에 와서 공부하게 하는 것이 좋습니다. 가정 체험학습은 되도록 주말이나 방학을 이용하고, 부득이 장례식으로 자녀를 학교에 오지 못하는 상황이 발생하면, 그날 배울 내용을 꼭 점검해 주셔야 합니다. 학교 공부는 체계적이고 위계가 있어서 소홀하면 다음 학습이 어려울 수 있고, 한 차시만 빠져도 부진이 발생할 수 있습니다.

09. 아침밥은 꼭 먹여요

부모님께서는 자녀를 일찍 재우고 일찍 깨워서 아침밥을 꼭 먹여서 학교에 보내셔야 합니다. 37년 차 학생들과 생활하면서 유난히 예민하게 구는 아이, 다투는 아이, 학습에 집중력이 떨어져서 진력내는 아이, 지구력이 없는 아이, 힘이 없어 보이는 아이, 급식실에 언제 가냐고 자꾸 묻는 아이, 배고프다고 말하는 아이, 정서가 불안한 아이는 대부분 아침밥을 먹지 않고 학교에 온 아이들입니다. 아침 식사를 하고 온 아이들은 몸과 마음, 정서가 안정되어 느긋하고 차분한 모습으로 학습에 집중하고 친구들과도 원만하게 지냅니다.

아이들은 끊임없이 움직이며 활동하는 양이 많고, 생각하며 학습을 하고, 또 몸이 한창 성장하는 시기라서 골고루 끼니를 거르지 않고 잘 먹이는 일은 부모님의 중요한 과업입니다. 아침 식사를 안 하는 것이 습관이 된 자녀가 있다면 조금씩 늘려가며 먹이셔서 학교에 보내도록 하시고 가장 좋은 방법은 아기 때부터 규칙적인 식사 시간과 골고루 먹이는 일에 공들여 주시는 것이 좋습니다. 햄, 소시지, 햄버거, 빵, 과자처럼 첨가물 많은 가공식품은 먹이지 말고, 자연식품 위주로 골고루 규칙적으로 먹이는 것이 좋습니다.

10. 체력 비만 스트레스

아이들은 어리니 체력이 약해도 괜찮을까요? 아이는 몸이 크면서 저절로 체력도 커질까요? 물론 몸이 커가면서 체력이 조금씩 늘기는 합니다. 그러나 자녀 나이에 맞는 건강한 체력을 유지해 주도록 의도적으로 노력하셔야 합니다. 아이가 체력이 없으면 빨리 지치고 학업이나 신체활동에 지장을 줄 수밖에 없습니다. 또 끝까지 끈기 있게 과업을 수행해 내지 못합니다. 환절기가 되면 감기를 달고 살 수도 있습니다. 아이와 함께 체력을 길러 주는 방법은 집에서 나와 몸을 움직이는 놀이, 줄넘기, 술래잡기, 동네 한 바퀴 돌기, 놀이터 방문, 공원이나 둘레길 산책이 있습니다.

아이들은 스트레스가 없을까요? 그렇지 않습니다. 부모님께서 '다해주는데 무슨 스트레스가 있겠어?' 생각하실 수 있으나 생각보다 아이들에게는 스트레스가 많습니다. 3학년 아이들과 스트레스를 언제 많이 받는지 토의한 적이 있습니다. 학업 스트레스, 경쟁 스트레스, 친구와 잘 지내야 하고, 수업 시간이 많고 내용도 어렵고 오래도록 앉아 있어야 하는 것도 힘들다고 스트레스를 호소합니다.

학원을 다니는데 부진아는 왜 그렇게 많은 걸까요? 아이들이 생각하는 가장 큰 스트레스는 학원에 가는 일이라고 한결

같이 말합니다. 학교 수업이 끝나면 아이들은 집으로 가지 못하고 학원에 또 가야 한다고 한숨을 내쉽니다. 어젯밤 학원에서 집에 8시에 왔느니, 9시에 왔느니 하는 말을 들으면 참 가여운 생각이 듭니다.

아이들과 대화하면서 몸을 움직이고 스트레스를 해소해 주고 체력을 길러 주다 보면 비만을 예방할 수 있습니다. 비만한 아이들이 늘고 있는데, 비만은 체질, 운동 부족, 식습관을 들 수 있습니다. 비만한 아이들은 마음이 위축되어 커다란 옷을 선호하고 몸을 웅크리고 신체활동도 소극적으로 바뀝니다. 그러다 보면 점점 더 비만해집니다. 심한 아이는 자존감이 낮아지고 소아 우울증이 오기도 합니다. 어릴 때부터 정해진 시간에 음식을 골고루 먹이도록 해주시고 가공식품보다는 자연식품을 먹이도록 합니다.

아이들이 성인이 되었을 때는 한가지 직업만 가지고는 살 수 없고 네 개 이상의 직업을 가질 것으로 예측합니다. 자녀가 무엇을 좋아하는지 무엇을 잘하는지 눈여겨보셔서 자기 주도적인 아이로 뒷바라지하셔야 미래 사회에 강하고 행복한 아이로 자라게 될 것입니다.

⇨ 메모하기

3장 담임선생님과 협력

1. 우리 아이 성장 동반자

우리 아이 담임선생님과

협력하여 바르게 키워요!

01. 초등교육 전문가

내 아이 담임선생님은 초등교육 전문가입니다. 아이들을 가르치는 일은 누구나 쉽게 할 수 있는 일로 생각하는 어른들이 간혹 있는데 바르게 이해하셔야 합니다. 담임선생님은 두 가지 측면에서 초등교육 전문가입니다.

첫째는 학급 아이들 실태에 맞게 맞춤형 수업을 하기 때문입니다. 앞에서 여러 차례 언급했듯 초등교육과정은 위계적이며 내용이 많고 어렵습니다. 새로운 단원을 수업하려고 할 때 우리 반 아이들이 선수학습에서 얼마나 잘 배웠는지 모두 진단해야 합니다. 예를 들어 3학년 1학기 나눗셈 단원을 가르칠 차례가 되면 몇 주 전부터, 선수학습 내용인 2학년 구구단을 모두 확인하고 아이 한 명 한 명 구구단의 원리를 모두 알고 있는지, 모두 외우고 있는지 점검하고 나눗셈 수업 계획을 세우고 준비합니다. 외우지 못하는 아이가 있으면 틈나는 대로 학교에서 지도하고, 부모님께 연락해서 협력적으로 해결되어야만 나눗셈을 할 수 있게 되고, 나눗셈을 할 수 있어야 분수를 하고, 분수를 할 수 있어야 소수 셈을 할 수 있게 됩니다.

선수학습을 복습해 주는 일과 함께 새로운 단원의 성취 기준 도달을 위하여 가르쳐야 할 내용을 계획하고 차시마다 자료, 학습 방법에 대한 고민을 하고 준비합니다. 수업을 진행하면서 아이들이 잘 배우고 있는지? 쉽게 배우고 있는지? 어려워하며 배우는 부분이 있는지 통찰합니다. 열심히 수업 준비를 했는데 예상과 다르게 학생들이 힘들어하고 어려워하면 왜 어려워하는지 진단을 내리고 처방을 합니다. 여기서 말하는 처방은 다시 설명하기, 앞 내용 다시 알려주기, 시범 보이기 등 잘 배울 수 있도록 하는 조치를 말합니다. 선생님들은 평가에도 전문성을 보입니다. 성취기준에 맞게 수행평가 문항을 출제하고 기준에 따라 공정하게 채점하며 가장 중요한 것은 환류하기, Feedback입니다.

둘째는 담임선생님은 아이 한 명 한 명 맞춤형으로 보살피기 때문에 아동교육 전문가입니다. 담임하고 있는 아이 한 명 한 명에 대한 가정환경, 배경지식, 성격, 성향, 교우 관계, 과목별 학습 상황이나 수준, 정서와 체력, 병 유무, 건강 상태, 기질 등 종합적으로 알고 일 대 일 맞춤형 상담과 돌봄이 이루어집니다. 학부모님의 학력과 수준이 높아졌고, 서른 명의 아이에 서른 명이 넘는 엄마 아빠의 요구 사항도 점차 많아져서 반영해 달라는 것도 잊지 않고 챙겨야 합니다.

학부모님 상담도 이제는 의무가 되어 학기별로 두 번 이상 이루어집니다. 담임선생님은 아이마다 매의 눈으로 살피고 관찰하여 정서적인 면, 교우 관계면, 학습적인 면으로 세분화하여 수시 상담은 물론 전문적인 상담을 합니다.

02. 담임선생님 존중

선생님 한 분이 결국 사표를 내고 말았습니다. 6학년을 담임 했는데 한 아이가 수업 시간에 여러 차례 돌아다녀서 몇 차례 타일렀습니다. 선생님의 수업 권리를 방해하고 다른 학생 학습 권 침해가 일어나는 일이 반복되었습니다. 학습권 침해를 받은 아이들이 일기장에 '○○가 선생님 말씀을 잘 들었으면 좋겠 다. 수업이 자꾸 끊겨서 힘들다.'고 쓰기 시작했습니다. 여러 부모님들의 민원을 반 대표 어머니가 모아서 여러 차례 한 상 태여서 이날은 엄하게 꾸중을 하였습니다. 아이는 꾸중을 공손 하게 듣지 못하고 화를 내며 해서는 안 되는 욕을 선생님께 하고 말았습니다.

선생님을 견딜 수 없이 힘들게 한 것은 아이 엄마의 태도 였습니다. 욕한 아이의 엄마는 아이 말만 듣고 욕한 자녀를 두둔하였습니다. 선생님이 잘못했다는 것입니다. '왜 우리 아이 만 매일 호되게 꾸중하느냐? 우리 아이만 미워하는 거 알고 있다. 얼마나 재미없게 가르치면 아이가 수업을 안 받겠느냐?' 욕한 부분에 대한 미안함이나 사과, 예의는 차리지 않고 말입 니다. 6학년 교과 내용은 대부분 어렵고 내용이 많아서 재미 있는 것만 배우지는 않습니다.

한 엄마가 '선생님이 신규라서 잘 모르는 것 같아 알려드려요.' 하고 담임선생님을 가르치는 투로 말하였습니다. 신규 선생님께서 이 엄마 때문에 너무 속상하다고 말합니다. 신규 선생님의 마음을 상하게 한 포인트는 두 가지입니다.

첫째는 자녀의 담임선생님께 예의 없는 태도로 말했고, 둘째는 담임선생님을 초등 교육전문가로 인정하지 않고 무시했다는 것입니다. 한 엄마는 6년 차 담임선생님께 '선생님이 애를 안 낳아 보셔서 잘 모르실 거예요.' 한 엄마는 20년 경력 선생님께 '선생님이 이 학교에 전근해 오셔서 잘 모르나 본데, 이 학교는요.' 이보다 더 심하게 모욕적이고 예의 없이 말하는 경우도 많아서 선생님들이 무척 힘들어하고 상처를 받습니다.

세상에 하나밖에 없는 소중하고 귀한 내 자녀를 맡긴 학부모라면 담임선생님께 예의를 갖추어 말하고 초등교육 전문가로 인정해 주시면 좋겠습니다. 교육대학에서 4년간 초등교육에 대하여 전문적으로 공부하고, 임용고시 합격을 위하여 열심히 공부하는 과정을 거치고 의기 충만해서 발령받은 멋진 분들입니다. 제 주변 선생님들 모두 사명을 다해 아이들을 지도합니다. 담임선생님께 감사한 마음으로 예의를 갖추어 초등교육전문가로 대하시면 아이도 존중하는 마음을 갖고 더 잘 배웁니다.

03. 엄마 목소리보다 더

자녀는 학교에 가서 엄마보다 담임선생님 목소리를 더 많이 듣습니다. 저는 수석교사 12년 차에 접어들었고, 수석교사를 하면서 우리 학교 전체 학생과 수업을 하고 있습니다. 1학년부터 6학년까지 모든 학급 학생들과 만나 수업을 합니다. 수석교사 전에는 25년 동안 담임을 한 경험이 있습니다. 제가 '엄마 목소리보다 더'를 주제로 글을 쓰는 것은 특별한 이유가 있어서입니다. 어느 순간부터 아동학대, 교권 추락, 학습권 침해, 교실 붕괴, 학부모 악성 민원, 담임선생님 고소 등 교육 현장에 대한 불신에 안타깝고 속상한 마음이 들어서입니다.

초등학교 현장에서 37년 차 학생들을 돌보며 온통 머릿속에는 학생들을 어떻게 하면 잘 가르칠까? 어떻게 하면 행복한 사람으로 키워낼까? 모든 학생이 예의 바르게 컸으면 좋겠다. 너그럽고 인성 좋은 아이로 따뜻한 사람으로 자라면 좋겠다. 친구들을 도와주고 배려하는 사람으로 성장하기를 바란다. 가정에서 행복한 아이였으면 좋겠다. 주말에는 맛있는 것 많이 먹고 책도 읽고 좋은 시간 보내면 좋겠다. 제가 만난 모든 선생님은 저와 똑같은 마음으로 최선을 다하여 교직 생활합니다.

04. 아이를 가장 잘 알아요

담임선생님을 믿어 주라는 말이 이 주제의 핵심입니다. 주말과 방학 기간을 제외하고 아이는 가장 많은 시간을 담임선생님과 함께하며 담임선생님의 목소리를 가장 많이 듣고 성장합니다. 아이들은 아침 8시 전부터 한명 두명 재잘거리며 교실로 들어옵니다. 담임선생님은 '안녕, ○○야 어서 와.'하며 반갑게 인사하고 아침 시간 수행할 학습을 알려줍니다. 아이가 교실에서 친구들과 어떤 모습을 하고 노는지, 고운 말은 쓰는지, 마음 씀씀이가 너그럽고 따뜻한지, 핑계 대거나 친구를 잘 이르는지, 원만하지 못하면, 원만하게 지내지 못하는 이유와 원인까지 꿰뚫고 있습니다.

수업 시간에는 어떤 학습을 어려워하고 힘들어하는지, 가정에서 어떻게 도와주면 무난하게 해결할 것인지, 학습할 때 집중력은 어느 정도인지, 부진한 교과나 어떤 단원의 어떤 영역에서 어려움을 겪고 있는지, 부진한 원인과 해결 방법도 담임선생님은 잘 알고 있습니다. 왜냐하면 온종일 함께 교실에서 생활하면서 아이들을 지켜보고 관찰하기 때문입니다.

간혹 학부모님 중에 담임선생님이 관찰한 아이의 이야기를 듣고 부인하는 경우가 있습니다. 내 아이의 성장을 돕는 동반자로 담임선생님을 믿고 존중해 주기 바랍니다.

05. 정서, 친구 관계, 학습

가정에서는 부모가 아이를 가장 잘 알고, 학교에서는 담임선생님이 아이를 가장 알고 있습니다. 아이의 올바른 성장을 위해서 부모님과 담임선생님과의 관계는 부모님 따로 선생님 따로가 아닌 반드시 협력해야 할 동반자입니다. 선생님은 부모에 대해서 '부모니까 자기 자녀를 당연히 돌봐야지.' 하는 마음보다는 자녀를 돌보는 고충에 대해서 이해할 필요가 있고, 자녀에 대해서 가장 잘 알고 있는 사람임을 존중해 주기 바랍니다. 부모님께서는 담임선생님에 대해 '월급 받고 당연히 하는 일.'이라는 생각보다는 온종일 자녀와 여러 아이를 관찰하고 돌봐 주시는 고충을 알아주고 고마운 마음을 갖고 존중해 주셔야 합니다.

아이를 반듯하게 키워내고 싶은 목표는 부모님과 선생님 모두 같습니다. 부모님과 담임선생님이 서로 믿음을 가지고 존중하는 마음으로 대하는 것이 아이를 위하여 바람직한 태도입니다. 가정에서의 자녀에 대한 정보와 학교에서의 아이에 대한 정보를 서로 솔직하고 적극적으로 공유하여 협력할 때 아이는 바람직하게 성장할 수 있습니다.

부모님과 담임선생님은 아이에 대하여 서로 공유해야 할 부분은 아이의 정서 상태, 친구 관계, 학습 정도, 이렇게 세

가지입니다. 이 세 가지에 대하여 서로 솔직하게 공유하고 협력하여 지원하도록 합니다.

먼저 아이의 정서 상태가 불안하고 집중하지 못하며 산만하면 원인부터 찾아야 합니다. 부모님께서는 자녀의 정서 안정을 방해하는 요인이 무엇인지 살피고 제거해 주셔야 합니다. 정서 불안이 아기 때부터 습관적으로 이루어진 것인지도 자세히 분석하고 정서 안정을 위하여 온 가족이 도와주어야 합니다. 예를 들어 부모님이 과격하게 다투는 것을 아이가 보는 상황이라면 아이가 모르도록 보지 않는 곳에서 싸우는 방법입니다. 아이에게 가장 좋은 교육은 인성 좋은 부모의 태도와 금술 좋은 부부관계입니다. 담임선생님이 학교에서 노력해 줄 부분을 요청합니다. 담임선생님께서도 학교에서 관찰되는 정서 불안 요인을 말씀드리고 가정에서 지원할 부분을 구체적으로 알려드립니다.

두 번째로 친구 관계입니다. 아이가 가정이나 동네에서 친구들에게 너그럽게 대하고 원만한 관계를 유지하고 있으면 걱정할 것이 없으나 그렇지 않다면 담임선생님과 상의하여 노력할 부분을 공유하도록 합니다. 선생님께서는 학교에서 관찰된 내용을 자세하게 알려드려야 부모님이 자녀의 친구 관계를 개선하는 데 구체적인 도움이 될 수 있습니다. 아이가 말을 함부로 하는지, 안 빌려주는지, 심술을 부리는지, 화를 잘 내는지, 폭력은 하는지 등 원만하지 못하게 대하는 태도를 알려드릴 의무와 권리가 있습니다. 물론 담임선생님도 아이가 개선될 수 있도록 최선을 다하여 지도해야 합니다.

세 번째는 학습에 대해 협력해야 합니다. 학습 부진은 의외로 짧은 시간 안에 또는 작은 내용을 이해하거나 풀지 못해도 발생할 수 있습니다. 부모님께서는 아이가 어떤 내용을 싫어하고 어려워하는지 대강 알고 있습니다. 부모님도 담임선생님께 학교에서 도와주실 부분을 요청하도록 합니다. 선생님은 공부를 가르치고 관찰하기 때문에 학생이 잘하는 것, 못하는 것, 힘들어하거나 어려워하는 것을 자세하게 알고 있습니다. 물론 담임선생님도 아이가 학습을 제대로 할 수 있도록 최선을 다해야 합니다. 하지만 아이들이 너무 많은 경우에 일 대 일 지도가 어려울 수 있으니 부모님께 알리는 것을 어려워하지 말고 적극적으로 어느 부분을 어떻게 도와주셔야 할지 구체적으로 부탁드리도록 합니다.

부모님과 담임선생님이 서로 협력적으로 공조하여 지원하고 도와줄 때 아이는 즐겁게 친구들과 어울리고 잘 배우며 공부할 수 있습니다. 그렇지 않으면 아이는 가엾게도 친구들과 어울리지 못하고, 긴 공부 시간을 지루하고 힘들게 견뎌야 합니다.

2. 먼저 담임선생님과

먼저 담임선생님과 이야기 나눕니다!

01. 교무실 교장실은 빼고

A 선생님은 내선 전화를 받았습니다. 학급 아이들 하교하는 대로 교장실로 오라는 내용이었습니다. 교장실로 가서 교장 선생님과 교감 선생님으로부터 민원 이야기를 들은 A 선생님은 너무 당황스럽고 속상해서 몸 둘 바를 몰랐습니다. 민원이 들어오게 된 원인과 그동안 지도했던 이야기를 교장 선생님과 교감 선생님께 설명해 드렸습니다. A 선생님의 이야기를 다 들은 교장 선생님과 교감 선생님은 학부모님이 지도 내용을 오해하고 있고 화가 많이 나 있는 것 같으니 직접 만나서 그동안의 이야기를 나눠보라고 말씀하시며 교육청에 민원 넣겠다는 것을 겨우 말렸다는 말씀도 잊지 않았습니다.

학부모의 민원 내용은 이렇습니다. '담임선생님이 우리 애만 미워하는 것 같다. 같은 잘못을 했는데 다른 애들은 혼내지 않고 우리 애만 꾸중했다는데 불공평한 선생님이다. 우리 애가 그렇게 잘못하는 애가 아니다. 그동안 여러 번 참다가 너무 화가 나서 교육청에 전화하려다 일단 교장실로 한 거다. 담임선생님이 달라지지 않으면 그 즉시 교육청에 민원 넣겠다.' 사실 이 학부모는 교장실로 민원 전화한 것이 이번이 처음이 아닙니다. 해마다 여러 차례 교무실 교감 선생님과 교장실에 민원 전화를 넣은 경험이 있는 분입니다. 담임선생님이 관찰한 아이는 친구들에게 거친 말을 쓰고, 심술을 자주 부리며, 핑계가 많고 이르기를 잘하여 교우 관계가 원만하지 못합니다. 그동안 여러 차례 타일렀고 지도할 때마다 잘하겠다고 약속하고는 바로 친구를 괴롭히는 일이 많았습니다. 민원 들어온 날은 친구 후드 모자를 일부러 세게 잡아당겨서 친구가 심하게 넘어졌고 이를 목격한 담임선생님이 학생이 다치는 일을 예방하기 위하여 엄하게 꾸중하였습니다.

학급 아이들이 오늘도 B 선생님께 어제 하교할 때 교문 앞에서 있었던 일을 들려줍니다. 엄마 한 분이 일주일에 두세 차례, 반 아이들을 붙들고 오늘 담임선생님이 누구누구를 야단쳤는지? 무슨 일로 꾸중했는지? 어떻게 야단쳤는지? 자기 자녀에게 어떤 말을 했는지? 자기 자녀가 꾸중을 들었는지? 이런 일이 여러 차례 반복되자 담임선생님은 해당 학부모님께 학교에 방문해 달라고 정중하게 요청하였습니다. 그러나 이 엄마로부터 바빠서 갈 수 없다는 답변을 들었고 상담하려고 했으나 좌절되었습니다.

이 글을 읽는 학부모님은 어떤 생각이 드는지요? 바람직한 방법은 아니라는 생각을 모든 분께서 하실 것으로 판단합니다. 교감 선생님과 교장 선생님께 직접 민원을 넣는 것은 결코 슬기로운 방법이 아닙니다. 아무것도 모르고 있는 교장, 교감 선생님께 아이에 관한 이야기와 지도 과정을 설명해야 하고, 학교가 아닌 교육청에 민원을 넣게 되면 교감 교장 선생님께 연락이 오고, 그다음에야 담임 차례가 되기 때문에 더 복잡한 과정을 거치게 됩니다. 결국 이 문제를 해결하는 사람은 교장, 교감 선생님이 아닌 담임선생님입니다. 이 과정에서 담임선생님은 수치심은 말할 것도 없고 자괴감과 함께 공정하고 바르게 지도하고 싶은 욕구가 꺾이게 됩니다.

아마 학부모님께서 직접 담임선생님과 상담하기 보다는 교감 교장 교육청에 민원을 넣는 것은 자녀에 대한 불이익을 받게 되는 것을 원하지 않는 마음에서 그러는 것 같습니다. 민원 내용을 들은 담임선생님은 자기 반 아이 누구에 대한, 어느 학부모님의 민원인지 바로 알아차릴 수 있습니다. 부모님께서는 우리 아이가 학교생활을 어떻게 하고 있는지, 무슨 일로 왜 꾸중을 들었는지 언제든지 마음을 열고 용기를 내어 담임선생님께 요청하기를 바랍니다. 부모님이 노력할 내용과 선생님이 노력할 내용에 대한 대화, 소통, 공유와 지원이 필요함을 다시 한 번 강조드립니다.

⇨ 메모하기

02. 아이 말만 믿는다!

가족들 이십 명이 모인 명절날 조카가 자기 아이 담임선생님에 대해 말합니다. '우리 아이 담임선생님은 편애가 심하고 공정하지 못하다.'는 것입니다. 이유는 '아이가 집에 돌아와서 자기는 잘못한 적이 없는데 자기를 꾸중한다. 좋지 않은 자리에 자녀를 앉혀 놓았다. 옆 반 선생님은 숙제를 내주지 않는데 숙제를 많이 내주셔서 괴롭힌다. 우리 아이는 거짓말 '거' 자도 모르는데 거짓말했다고 반성문을 쓰게 한 적이 있다.' 는 내용이었습니다.

　이야기를 다 듣고 나서 저는 하나씩 반론을 펼쳤습니다. '아이가 꾸중을 들었다면 속상하겠지만 꾸중은 아이가 바르게 클 기회이다. 포기한 아이는 꾸중하지 않는다. 꾸중 들은 이유를 선생님께 물어봐서 개선해 주면 더 잘 자랄 것이다. 자리는 보통 한 달에 한 번 정도 돌아가며 옮겨 주고, 또래 교수가 필요해서 따뜻한 아이랑 힘든 아이랑 앉힐 때, 교우 관계도 고려하니 믿고 기다려 봐라. 괴롭히려고 숙제 내주는 선생님은 없다. 숙제는 자기 주도적 학습을 키워 줄 좋은 기회이다. 거짓말을 한다면 정말 큰 일이다. 오히려 발견하고 지도해 주셔서 담임선생님께 감사해야 한다. 아이가 엄마한테 혼날까, 봐 대부분 자기만 야단맞았다고 말한다든지, 엄마나 선생님 다른 사람이 실망하는 것이 싫어서 거짓말하는 경우가 많으니, 정직에 대한 필요성을 가르쳐 줘라.' 이렇게 말입니다.

학교를 가운데 두고 아파트가 삼면으로 둘러싸인 학교에 근무한 적이 있습니다. 아파트 단지에 사는 ○○엄마가 화가 나서 옆 반 담임선생님께 달려왔습니다. 옆 반 선생님은 화가 난 이유를 듣고 너무 어이가 없었습니다. 이유를 들어보니 며칠 전에 ○○가 뾰족한 가위를 꺼내서 갖고 놀길래 타이른 적이 있는데, 옆 동에 사는 같은 반 ◇◇가 집에 가서 자기 엄마에게 ○○가 오늘 선생님께 야단맞았다고 전하였습니다. ◇◇엄마는 다른 엄마들한데 '○○가 야단맞았는데 맨날 꾸중 듣는다, 선생님은 신경질적이고 화를 잘 내는 이상한 선생님이다.' 이런 식으로 눈덩이처럼 소문이 커지다가 결국 ○○엄마 귀에 들어간 것입니다. 엄마들이 자기 아이 말만 듣고 엄마의 짐작이 사실이 아닌데 눈덩이처럼 키우는 일도 많아서 돌이킬 수 없는 사태가 벌어지기도 합니다.

선생님은 아이의 안전과 배움을 집중시키고 바르게 성장시키기 위하여 타이르기도 하고 꾸중도 합니다. 학부모님은 다른 아이에 대하여 자녀에게 긍정적인 말을 해주셔야 자녀가 바르게 성장합니다. 엄마들 사이에서 다른 아이의 말을 옮긴다든지, 자신이 짐작한 소문을 키우지 말아야 합니다. 또 못마땅하거나 마음에 들지 않는 아이가 전학 갔으면 하는 마음을 담임선생님께 말하는 경우가 있는데 이는 결코 옳은 행동이 아니며 선을 넘는 발언입니다.

평생을 교직에서 몸담은 저는 학부모들이 담임선생님께 생각보다 많은 오해를 하는 상황이 많아서 참 안타깝습니다. 앞서도 언급했는데 담임선생님들은 하나같이 공정하게 아이들을 대하려고 노력합니다. 시시비비를 가려서 꾸중도 공정하게 하고, 심한 잘못을 했을 때는 좀 더 엄격하게 타이르기도 합니다. 아이들끼리 싸우지 않고 사이좋게 지내도록 교육해서 누구보다 학급 운영을 잘하고 싶어 하고, 열심히 가르쳐서 멋진 아이로 좋은 사람으로 반듯하게 성장하기를 바라는 것이 모든 선생님들의 마음입니다.

학부모와 담임선생님은 아이를 바르게 성장시키는 협력적인 관계입니다. 내 아이가 소중하다고 무조건 아이 말만 듣고 판단하지 마시고 객관적으로 올바르게 인식해야 아이를 잘 키울 수 있습니다. 내 아이에 대해서 가장 잘 알고 있는 담임선생님을 어려워하지 말고 선생님과 대면 상담을 통해 개선해 줄 방법을 진지하게 의논하기를 바랍니다.

⇨ 메모하기

03. 얼굴 마주 보고 상담

학부모 교육을 한 적이 있습니다. 학부모 교육이 끝나고 한 어머니가 저에게 상담을 요청하였습니다. 수석실로 와서 차 한 잔 대접하고 나서 상담 내용을 듣고 깜짝 놀랐습니다. 담임선생님이 너무 쌀쌀맞고 냉정하고 단칼에 자른다는 것이었습니다. 그래서 어떤 방법으로 담임선생님과 대화하는지 물어보았습니다. 담임선생님과 이 엄마가 서로 주고받은 문자 이야기를 들어보니 오해가 쌓일 만했습니다. 문자를 주고받을 때는 읽는 사람이 충분히 이해하도록 상대 처지에서 써야 하는데 서로 이해하겠거니 하고 문장을 세심하게 작성하지 않고 본인들 처지에서 썼고, 문자 수가 제한되다 보니 안부 인사나 이해를 돕는 배경 설명 없이 간단하게 작성하여 문자를 주고받다 보니 서로 불신이 싹텄던 것입니다.

담임선생님도 학부모님도 아이에 대하여 상담할 때는 얼굴을 보고 의논하는 것이 가장 효과적입니다. 아이가 병원에 들러야 해서 등교 시간 지나 도착한다든지, 제출해 달라거나 준비물 같은 단순한 내용은 문자로도 괜찮습니다. 아이가 꾸중 들었다는 소식을 듣고 자세하게 알고 싶다든지, 아이가 선생님과 친구들에 대해서 부정적인 말을 하면 상담 요청을 하여 어떻게 된 일인지? 무엇을 어떤 방법으로 개선해 줘야 할지 선생님과 이야기 나누도록 합니다. 담임선생님도 '아이가 싸웠다, 거짓말을 했다, 친구들을 괴롭혀서 지도했다.' 이런 내용은 문자로 알리면 받아들이는 학부모 입장에서 불쾌할 수 있습니다. 시간을 내달라고 정중하게 요청하여 얼굴을 마주 보고 진심을 다해 지도하고 있고, 가정에서 도와줄 내용을 구체적으로 제시하고 부탁드립니다.

초등학교 1학년부터 6학년까지는 아이가 성장하는 과정은 근면성과 도덕성을 몸과 마음에 익히는 중요한 시기입니다. 부모님도 아이를 잘 기르고 싶고, 선생님도 아이를 잘 가르치고 싶은 공동의 목표를 가지고 있습니다. 부모님과 선생님은 서로 어려운 존재라는 인식을 떨치고 용기 내어 만나고 존중하며 공조했을 때 아이는 바르고 좋은 사람으로 성장합니다.

⇨ 메모하기

04. 솔직하게 말해요

제가 저 경력 교사 시절에는 가정 방문을 갔었는데 가정 방문이 아이를 이해하고 도움을 주는 데 무척 큰 도움이 되어 인상적인 기억이 지금까지 남아 있습니다.

　매년 3월 2일이 되면 아이들은 가정환경조사서를 들고 집으로 갑니다. 가정 방문을 대신하는 가정환경조사서는 담임만 보는 비밀정보입니다. 가정 방문을 할 수 없는 대신 아이를 이해하고 최대한 아이 입장에서 잘 가르치고 싶어서 작성하게 하는 것입니다. 가정환경조사서를 작성할 때는 사실대로 솔직하게 기재하여 보내주실 것을 당부드립니다. 그래야 학교에서 제대로 아이를 도와줄 수 있습니다.

　간혹 거짓으로 작성하여 정작 아이를 돕는 데 도움이 되지 않고, 어떤 상황에서는 아이가 상처받는 일이 발생할 수 있습니다. 예를 들면 같이 살고 있지 않은 가족을 함께 사는 것으로 기재하는 경우입니다. 교과서에 가족과 함께, 아빠와 함께, 엄마와 함께 한 일 말하기가 나와서 시켜야 할 때가 있습니다. 아이 가정환경조사서에 아빠가 기재되어 있어서 담임선생님은 '이번에는 ○○가 주말에 아빠랑 함께 한 일을 말해 볼까요?' ○○는 아빠랑 살고 있지 않습니다. 담임선생님께서 미리 알고 있었다면 담임선생님은 아이를 배려하여 질문을 하지 않았을 것입니다.

엄마는 일해야 하고 아이를 돌볼 수 없는 사정으로 할머니와 사는 아이에게 다른 사람이 물어보면 '엄마도 함께 살고, 아빠도 함께 산다.'이렇게 말하라고 시킨 사례가 있습니다. 아이는 얼마나 혼란스러울까요? 아이는 잘못이 없는데 본의 아니게 거짓말을 해야 합니다. 처음에는 괴롭다가 점점 거짓말을 해도 양심의 가책을 느끼지 못하게 되어 아이가 성장하는데 바람직하지 않습니다.

선생님들은 내 반 아이들이 모두 행복하기를 바랍니다. 그래서 열심히 가르치고, 칭찬하고, 타이르고, 야단도 하고 꾸중도 합니다. 아이에 대한 정보를 솔직하게 알려주시면 담임선생님은 최선을 다하여 아이에 알맞은 맞춤형 돌봄을 할 수 있습니다. 담임선생님을 믿고 당당하게 아이에 대하여 정직하게 알려 주시기 바랍니다.

⇨ 메모하기

05. 도움이 필요할 때는

1학년 아이들을 담임한 적이 있습니다. 모두 서른 명이었는데 스물네 명은 원만했고, 여섯 명의 아이가 특별히 더 많은 도움이 필요했습니다. 여섯 명 중에 아이 한 명이 전혀 말을 하지 않았습니다. 종일 친구들과 아예 어울리지 않고 혼자 책을 보며 지냈습니다. 가정환경조사서에 엄마가 없는지 쓰지 않고 비워놓았습니다.

아버님께 시간 내어 학교로 와주실 것을 요청하였습니다. 아버님은 곧바로 조퇴하고 오셨고 솔직하게 말씀해 주셨습니다. '엄마가 게임중독에 빠져서 아이와 형을 전혀 돌보지 않았다, 밤늦게까지 게임을 하다가 과자를 밥 대신 먹이는 일이 많았다, 분노 조절이 안 되어 형에게 화풀이하고 학대한 것을 보며 아기 시절을 보냈다, 3년 전에 엄마와 이혼하고 아이들은 교회에서 돌봐 주고 있다, 작년부터 방과 후에 마을 공부방에서 돌봐 주고 있다.' 아버님께 아이의 정서, 친구 관계, 학습에 대한 정보를 알려드리고 가정에서 노력해 주실 내용을 몇 가지 당부드렸습니다.

저도 아이가 느끼지 못하도록 실천하기 시작했습니다. 아이가 말을 하지 않아도 그저 미소 지어 주며 기다렸습니다. 가장 따뜻하고 포근한 판수라는 아이와 짝을 지어 주고 판수에게 '○○가 말하지 않아도 선생님이랑 판수랑 속상해하지 말고 기다려 주자, 판수가 무척 힘든 거 알아, 그래서 정말 고마워.' 판수는 몇 달을 단 한 번 불평하지 않고 말없이 ○○를 챙겨 주었습니다.

○○는 영리해서 학습을 아주 잘했습니다. 정서도 점차 안정되어 갔습니다. 그러나 3월이 다 가도록 누구 와도 말을 하지 않았습니다. 입학하는 날부터 하교하는 길에 다른 아이들 다 인사 나누며 집으로 보내고, 마지막으로 ○○의 손을 잡고 마을 공부방까지 하루도 빠짐없이 데려다주었습니다. 4월 초가 되자 ○○가 먼저 나의 손을 잡고 마을 공부방으로 향했습니다. 드디어 '선생님, 오줌 마려워요.' 하고 말하기 시작했고, 5월이 되자 판수에게 그다음에는 주변 친구들에게 한마디씩 하였습니다. 6월에는 공부 시간에 발표하여 친구들을 깜짝 놀라게 하였습니다. 학급 친구들은 ○○에게 폭풍같은 박수 세례로 칭찬 샤워를 하였습니다.

아버님은 아이를 위해 가정에서 실천하고 있는 내용을, 저는 학교에서 실천하고 변화되는 내용을 일주일에 한 번씩 공유하였습니다. 잘되고 있는 내용은 그대로 실천하고 잘 안 되는 것은 반성하고 새로운 계획을 세워서 실천하기를 1학기 내내 7월까지 하였습니다. 아이가 가장 중요한 시기이니 시간을 되도록 많이 내주셔서 엄마 몫까지 해달라는 저의 요구를 열심히 실천하셨습니다.

앞에서 언급한 것처럼 서른 명 중에 ○○처럼 부모님과 공조하고 협력하여 개선된 아이가 다섯 명이 더 있었습니다. 저의 실행연구 논문을 읽어보시면 큰 도움이 될 것입니다. 논문은 리스에서 검색하면 무료로 보실 수 있습니다. 1년간 철저하게 실행연구한 내용을 실었는데, 논문 제목은 [만 6세 아동의 배려실천교육에서 나타나는 또래관계 변화 연구]입니다.

오늘날 가족 구성원이 다른 여러 형태의 가족이 있습니다. 1~2학년 교과서에도 여러 구성원으로 이루어진 다양한 가족 구성원에 대하여 배웁니다. 부모님 스스로 아이가 위축되거나 기죽는 일 없도록, 또 혼란스럽지 않도록 당당하고 솔직하게 말씀해 주셔야 합니다. 담임선생님이 아이를 효과적이고 따뜻하게 지원할 수 있도록 얼굴을 맞대고 공조하고 협력하기를 바랍니다.

⇨ 메모하기

부록. 끝나지 않은 이야기

episode ①

겹겹이 산으로 둘러싸인 면 소재지에서 태어난 저는 1974년 초등학교 4학년에 다녔습니다. 그때 저의 꿈은 오로지 학교 선생님이 되는 것이었습니다. 베이비부모 막바지 세대라서 그때 우리 반은 70명이 넘었던 것으로 기억합니다. 그 당시는 나라도 가정도 가난하던 시절이라서 도시락을 싸 오지 못하는 아이들도 더러 있었고, 대부분 보리밥에 김치를 넣어 겨우 도시락을 싸 오는 친구들이 더 많았습니다.

기억 나는 여학생이 한 명 있었는데 도회적으로 예쁘게 생겼고 공부도 잘했습니다. 여학생 어머니는 매일 점심 시간에 맞춰서 따뜻한 밥과 화려한 반찬을 만들어 도시락 두 개를 들고 왔습니다. 하나는 그 여학생 도시락, 하나는 담임선생님 도시락이었습니다. 반장 투표가 없던 시절이라 담임선생님은 그 여학생을 일년 내 반장을 시켰습니다.

반장은 담임 선생님의 회초리를 들고 다니며 청소 안 하는 아이들의 손바닥을 때렸습니다. 숙제를 해 오지 않아도 손바닥을 때리고, 선생님이 안 계실 때는 이 아이가 선생님처럼 우리 반을 다스렸습니다. 저는 굳게 다짐했습니다. '내가 선생님이 되면 모든 아이를 공정하게 대하고 반장은 돌아가며 모두 시키겠다.'고 결심하였고 지금까지 실천하고 있습니다.

현장에서 지켜보면, 맞고 때리고, 상처 주는 말도 듣고, 자기도 상처 주는 말도 하고, 맞기만 하는 아이도 없고, 때리기만 하는 아이도 없습니다. 한 아이가 기분 나쁘게 말하면 상대 아이가 더 기분 나쁜 말을 하고, 주거니 받거니 나쁜 말이 점점 더 나쁜 말로 거세집니다. 자신은 잘못이 없다는 듯 아이들은 참지 못하고 너도 나도 이르기도 잘합니다.

저를 비롯한 대부분 선생님은 학생 간 다툼이 벌어졌을 때 한 아이가 조금이라도 억울하지 않도록 공정하게 지도하려고 최선을 다합니다. 아이들은 인격이 미성숙해서 피해와 가해를 반복하면서 성찰하고 성장합니다. 부모님께서도 다른 아이도 내 아이 못지않게 소중하고 귀한 사람으로 여기고 다툼이 일어났을 경우 한 발 뒤로 빼고 지켜봐 주시면 아이들 스스로 자정 작용하며 어울리는 법을 배우고 성장할 것입니다. 또 담임선생님의 지도를 믿고 기다려 주는 것이 좋습니다.

episode ②

학교에 급식이 아직 들어오지 않았던 시기에 6학년을 담임한 적이 있습니다. 아이들이 모두 즐겁게 모여서 싸 온 도시락을 함께 먹는데 ☆☆는 늘 혼자 점심을 먹었습니다. ☆☆를 지켜볼 때마다 혼자 외롭게 말없이 앉아 있고는 하였습니다. 보건실에 여학생들 모두 성교육 받으러 간 시간에 남학생들에게 ☆☆가 어울리지 못하는지 여학생들이 왜 멀리하는지 솔직하게 대답해 달라고 하였습니다. 남학생들이 앞다투어 말했습니다. '☆☆ 아빠가 똥차 몰아요. ☆☆ 아빠가 똥차 운전한다고 여학생들이 ☆☆한데서 똥 냄새 난다고 안 놀아 줘요.' 남학생들에게 ☆☆와 함께 놀아 주도록 노력해 달라고 부탁하였습니다.

다음 시간에 전체 학생들에게 말했습니다. '여러분, 선생님은 매일 한 번씩 똥을 눕니다. 여러분들 중에 똥 누지 않는 사람 있으면 손들어 주세요. 우리 집 정화조에 똥이 차서 넘치는데 똥차가 오지 않으면 어떻게 될까요? 똥차 몰면 냄새난다고 아무도 운전하지 않으면 어떻게 될까요? 선생님이 알고 있는 똥차는 들어갈 때 나올 때 철저하게 소독합니다. 운전하시는 분들도 나올 때 철저하게 소독하고 옷도 갈아입고 자가용 타고 출퇴근합니다.' 아이들은 '감사한 직업이다. 필요한 직업이다. 누군가 꼭 해야 하는 일이다.' 아이들은 너나 할 것 없이 ☆☆주변에 모여들기 시작했고 6학년을 잘 어울리며 지내다가 졸업하고 중학교에 갔습니다.

episode ③

4학년 △△는 쉬는 시간은 말할 것도 없고, 수업 시간에도 갑자기 맞은 편 분단에 앉은 아이에게 주먹을 날렸습니다. △△는 동네에서 더 유명했습니다. 매일 같이 동네 학부모들은 △△집에 찾아가서 △△부모님께 항의 했습니다. △△는 자기가 누군가 때린 날은 집에 들어가지 않고, 어느 건물 계단에서 뜬눈으로 밤을 세우고 집에 들어가지 않고 바로 학교 오는 날도 많았습니다. 이런 날은 △△ 어머니가 옷하고 교과서와 준비물을 가지고 교실로 오시고는 하였습니다. 왜 그러니 하고 물어보았더니 '맞은 부모가 자기 부모를 찾아와 항의하면 엄마가 힘들어하는 것이 싫어서 집에 들어가지 않는다, 계단에서 잠들면 누가 데려갈까, 봐 무서워서 안 자요.'라고 대답했습니다. △△는 과잉 행동 장애인데 특히 공격성이 심한 유형이었습니다. 그래서 △△도 어머니도 함께 상담도 치료도 받고 둘 다 처방받아 약을 복용하며 회복하기 위해 노력하고 있었습니다.

3월에 반갑게 대하던 우리 반 어머니들이 시간이 갈수록 저를 피하며 싸늘한 눈길이 늘어나기 시작했습니다. 당시에는 엄마들이 일주일에 한 번씩 교실 대청소를 해주던 시절이었는데, 2학기가 되자 교실에 아예 오지 않았습니다. 현장학습에 스케이트 안전요원으로 빙상장에 도움 주러 온 학부모들이 저와 눈을 마주치지 않으려고 슬금슬금 피하였습니다. 학부모 대표를 비롯하여 오실 수 있는 어머님들은 모두 교실로 오게 하였습니다.

'제가 어머님들께 무엇을 잘못하고 있을까요? 반갑게 잘 도와주시던 어머님들이 왜 저를 피하는 것일까요? 싸늘한 눈빛, 째려 보는 눈빛을 느낍니다. 일주일에 한 번씩 해주시던 교실 청소도 아예 몇 달째 오지 않으시니 제가 오해하고 있는 것일까요? 사람 은 오감으로 느낍니다. 어찌 된 일인지 솔직하게 말씀해 주십시 오. 제가 개선하겠습니다.' 침묵이 흐르다 학급대표 어머니가 말 을 꺼냈습니다. '담임선생님이 △△만 편애하여서 공정하지 못하 고 우리 애들은 찬밥 신세 같다. 담임선생님께 너무 섭섭하고, 실망했다.'라고 말씀하셔서 저는 이렇게 대답하였습니다.

'어머님들께 먼저 말씀드렸어야 하는데 저의 잘못입니다. △ △는 공격성이 심한 과잉 행동 장애여서 일종의 질병입니다. △ △어머니도 함께 치료받으며 무척 노력하고 계십니다. 제가 교실 을 비울 때마다 △△손을 잡고 다니는 것은 아이들과 분리하기 위해서였습니다. 제가 있을 때도 갑자기 주먹이 날아가고, 제가 없을 때는 더 심해서 다른 아이들 안전을 위해서 교실을 비울 때 부득이 △△를 데리고 다녔습니다. 어머님들께서 자식을 키우는 같은 입장이라 △△랑 △△어머니도 이해 주실 것이라고 믿었습 니다. 힘든 자녀를 키우고 있는 △△어머니 입장을 조금만 헤아 려 달라.' 그리고 저를 믿고 기다려 달라고 부탁하였습니다.

episode ④

3월 신학기 3학년을 담임할 때 일입니다. 새로 담임하게 된 아이 중 ▽▽는 체형이 커서 5학년쯤 되어 보였습니다. 그런데 아이들도 엄마들도 모두 저에게 하소연하였습니다. '▽▽랑 절대 같은 반이 돼서는 안 되는데 같은 반이 되었다. ▽▽는 2학년 때 맨날 애들을 때렸다. ▽▽는 화를 잘 낸다. 2학년 때 아이들이 전부 ▽▽를 무서워했다. 2학년 때 제일 힘든 아이였다.' 한마디로 2학년 때 ▽▽는 죽일 놈이었습니다.

교직 생활하면서 저의 신념은 크게 두 가지였고 지금도 두가지 신념은 변함없습니다. 3월 아이들 만나는 첫날부터 마지막 날까지 강조하여 교육하는 것입니다.

첫째, 수업 시간 집중하여 공부해서 실력 있는 사람

둘째, 친구랑 사이좋게 지내려고 노력해서 좋은 사람

아이들과 엄마들의 이야기를 듣고, 누가 맞거나 피해를 보는 일을 예방하고 알맞은 지도를 위하여 ▽▽가 눈치채지 못하게 ▽▽를 매의 눈으로 관찰하였습니다. 선입견을 깨고 반전이 일어나기 시작하였습니다. '▽▽는 뚱뚱한 돼지래요. 너희 엄마는 왜 학교에 안 오냐? ▽▽왜 화 안 내냐? ▽▽가 화 안 내면 할머니가 돈 준댔냐?' ▽▽표정을 놓치지 않고 보았는데 나름 잘 참아내고 있었습니다. 아이들 하교시키고 ▽▽와 이야기를 나누었습니다. 관찰했을 때 화낼만한데 잘 참아서 대견하다고 우선 칭찬해 주었습니다. 그러자 ▽▽는 '할머니랑 3학년 때부터 화 안 내고, 친구도 때리지 않겠다고 약속했어요. 2학년 때 제가 속 썩여서 할머니가 많이 울었어요.' 할머니께 전화로 있었던 일을 알려드리고 잘 참았으니 칭찬 듬뿍 해주시라고 말씀드리자 ▽▽부모가 사업에 실패해서 파업 신고하고 빚이 많아 엄마와 아빠는 지방에서 일하고 ▽▽를 일곱 살 때부터 할머니께서 키우신다고 알려 주셨습니다.

　　▽▽는 교실 바닥 청소도 대 마포로 힘 있게 밀고, 우유 박스도 번쩍 들어서 갖다 놓아서 우리 반 특공대라고 별명을 붙여주었습니다. 처음에 부진했던 학습도 점차 회복하면서 공부도 제법 따라갔습니다. 물론 폭력 쓰는 것도 1학기 말이 되자 완전히 사라졌고, 친구들과도 사이좋게 지내서 만나는 엄마들도 ▽▽가 달라졌다고 웃으며 하나같이 칭찬해 주었습니다.

episode ⑤

우리 반은 1학년 12명으로 병아리처럼 귀엽고 사랑스러웠습니다. 여학생은 다섯 명으로 한눈에 다 들어왔습니다. 입학한 첫 주에는 별일 없었는데, 둘째 주부터 동등하지 못한 아이들 행동이 관찰되었습니다. 여학생 중에서 세 명이 군부대 아파트에 사는 아이들인데 그중 두 명이 한 명의 비위를 맞추는 모습이 등교 시간, 점심시간, 하교 시간, 일주일 내내 관찰되었습니다. 한 아이는 책가방을 들어다 주고, 한 아이는 신발주머니를 들어다 주고, 한 아이는 식판을 받아다 주고, 한 아이는 다 먹은 식판을 퇴식구에 버려 주고, 아빠가 대대장 아래 계급의 여학생 두 명이 아빠가 대대장인 아이에게 심부름꾼처럼 매사에 해준 행동입니다. 이런 행동이 오래된 습관처럼 보였습니다.

아이들에게 친구는 동등한 관계임을 교육하고, 군부대 엄마들 모두 오시게 한 후 사실대로 알려드리고 군인아파트에서도 어디에서도 아이들은 동등한 관계로 교육하고 키워달라고 당부하였습니다. 대대장인 아이 엄마는 따로 남게 해서 아이가 스스로 헤쳐 나갈 수 있도록 더 강하게 키워야 한다고 멀리 내다보며 키우도록 상담하였습니다.

5학년 아이들이 모둠별로 장기자랑 준비를 하면서 어느 모둠에서 벌어진 일입니다. 네 명은 학교 근처 아파트에 살고, 한 명은 학교에서 조금 먼 산동네에 살았습니다. 쉬는 시간에 세 명의 아이가 산동네 사는 아이에게 '너는 다른 조로 가, 너는 걸그룹 춤

못 추잖아!'하는 것이었습니다. 담임인 저는 깜짝 놀랐습니다. 우리 반에 가장 중요한 규칙이 '사이좋게 지내자.'를 일 년 내내 강조하여 교육했는데 말입니다. 산동네 사는 이 아이는 얼마나 상처를 받았을까요? 세 명의 아이들과 이야기를 나누었습니다. 다음 날 아침 출근하여 교실 뒷문 근처로 걸어오는데 한 아이가 우리 교실 앞문을 열고 나와 익숙한 뒷모습을 보이며 뛰어가 버렸습니다. 교실에 도착한 저는 망연자실, 컴퓨터 책상 위에 마우스가 가위로 싹뚝 잘려져 있고, 뒷모습을 보인 아이의 책가방이 그 아이 자리에 놓여 있었습니다.

자녀를 잘 키운다는 것은 어떻게 키우는 것일까요? 부모님이 안 볼 때 밖에서, 선생님이 보지 못하는 장소에서 반듯하고 바르게 행동하는 아이, 주체적인 삶을 살 줄 아는 아이라고 학부모님 교육할 때 서슴없이 말합니다.

유치원부터 초등학교 시절은 자녀가 자기 주도적인 아이로 성장할지? 그렇지 못한 아이가 될지? 아주 중요한 과정에 있습니다. 이 과정에서 부모님의 올바른 양육 태도와 적절한 지도와 교육이 필요한 것입니다. 아이들은 언제까지 부모님과 선생님의 도움을 받을 수 없습니다. 우리 아이들이 성인이 되면 지금보다 훨씬 경쟁하며 살아야 하고 혼자서 모든 일을 슬기롭게 헤쳐 나가야 합니다. 그래서 강한 아이로 키우도록 해야 합니다.

episode ⑥

한 아빠를 만났습니다. 이제 막 초등학교를 졸업시킨 아들과 여섯 살 딸을 가진 아빠입니다. 이 아빠는 저의 제자입니다. 제자는 아들이 졸업하는 6년 내내 아들 담임선생님과 상담할 때 조퇴하고 아내와 동행했다고 합니다. 이 말을 들은 저는 '너무 멋진 아빠다. 대한민국 아빠들이 모두 이렇게 해야 해, 나도 예전에 담임했을 때 아빠가 상담하러 오시면, 듬뿍 칭찬해 드렸어, 바쁘실 텐데 와주셔서 특별히 더 감사드렸던 기억이 난다.'라고 말하며 손뼉을 크게 쳐주었습니다. 저의 반응을 보고 제자가 하는 말은 뜻밖이었습니다. 담임선생님들이 '어떻게 아빠도 오셨어요? 아빠들은 잘 안 오시는데?'라고 대부분 같은 말을 해서 얼굴이 빨개지면서 마음속으로 '괜히 왔나? 정말 아빠는 나만 온 건가?' 민망했답니다. 상담을 마치고 나오면서 아내는 '거봐 나 혼자 온다고 했잖아? 괜히 조퇴까지 하고.' 제자는 6년 동안 아내에게 핀잔을 듣고는 했답니다.

저는 담임선생님 관점에서 '아빠들이 상담에는 거의 안 오시니까 칭찬하는 마음을 직설적으로 표현한 거야, 선생님들은 우리 반 아빠가 상담에 오셨었다고 자랑들 하시거든.' 이 말은 사실입니다. 학부모님의 마음을 헤아려 보면 담임선생님이 어렵고 상담할 때 긴장될 수 있습니다. 이 글을 읽는 선생님이 있다면 상담 오신 아버님께 듬뿍 칭찬해 드리고 지금보다 조금 더 친절하게 학부모님을 맞이하면 좋겠습니다.

episode ⑦

요즘 학교는 깜깜한 밤까지 아이들 소리가 들립니다. 목소리의 주인공은 모두 초등학교 1~2학년 아이들입니다. 돌봄 아이들은 오후 다섯 시에 집으로 가고, 늘봄 아이들은 밤 8시에 집으로 갑니다. 아시다시피 학교에서 돌봄을 먼저 운영하였고 최근에 늘봄이 운영되기 시작하였습니다. 개인적인 생각을 말하자면 늘봄이 확대되고 있어서 걱정스럽습니다. 물론 부모님이 일해야 해서 아이들을 누구든 잘 보살펴야 하는 것은 당연합니다.

어린이집에서 일하는 저의 친구를 만나면 어린 아기들이 밤늦게 집으로 돌아가는 것에 대해서 무척 속상해합니다. 한 부모님은 오후 다섯 시에 퇴근하는데 매일 어린이집 끝나는 밤늦은 시간에 아기를 데리러 온답니다. 이 친구가 진심으로 걱정하는 것은 아기였습니다. 다른 아기들은 밝은 오후부터 하나, 둘씩 부모님과 집으로 가는데 이 아기는 매일 마지막까지 남아 있으면서 자꾸 문 쪽을 보고 시간이 지날수록 힘이 없어 보인답니다.

저와 친구는 대학원에서 아동 발달에 대해 열심히 공부하며 우리는 늘 같은 생각을 했는데 그것은 부모님들이 가급적 많은 시간을 자녀와 집에서 함께 보내도록 최선을 다해야 한다는 것입니다. 어른이든 아이든 집처럼 편안한 공간은 없습니다. 아기는 집에서 부모님과 함께 있기만 해도 행복하고 정서적 안정을 취합니다. 어린이집에서, 돌봄교실에서 늘봄교실에서 보내는 시간을 최소화하기 바랍니다.

에필로그

'담임선생님은
내 아이를 바르게 성장시켜주는 동반자입니다.'

학교에서 생활하다 보면 다양한 아이들 유형이 있습니다. 푸근하고 긍정적이며 바른 행동을 하는 학생을 보면 기쁘고 보람을 느낍니다. 그러나 아이가 우울한 모습을 보이거나 부정적인 행동을 할 때는 걱정이 많습니다. 37년간 학교 현장에서 아이들과 함께하면서 부모님이 '이렇게 도와주면 아주 좋을 텐데.' 하고 평소 생각했던 것과 효과적인 방법을 자세하게 책으로 엮었습니다.

내 아이와 가장 많은 시간을 보내고, 엄마나 아빠보다 더 많이 듣는 목소리가 있습니다. 그것은 바로 내 아이의 학급 친구들과 담임선생님입니다. 담임선생님을 초등교육전문가로 인정하고 언제든지 담임선생님과 상담하시기를 권장합니다.

부디 이 책이 부모님과 선생님들께 학생 한명 한명 바른 사람으로, 자기 주도적인 사람으로, 행복한 사람으로 성장시키는 데 도움이 되기를 기대합니다.

참고도서

책 제목	저자	출판사	연도
학교 상담과 생활지도	구광현	학지사	2005
학교 상담의 이론과 실제	김계현	학지사	2005
선생님은 해결사-집착편	김미영	학지사	2005
또래 관계 진단과 치료	송영혜	집문당	2007
상담으로 풀어가는 교실 이야기	오인수	교육과학사	2005
선생님은 해결사-학습편	오희은	이너북스	2010
우리 엄마가 달라졌어요	이보연	작은씨앗	2009
유아의 사회적 유능감 키우기	이순형	학지사	2004
선생님은 해결사-교사 학생편	이숙경	이너북스	2010
선생님은 해결사-또래관계편	이숙경	이너북스	2010
유아 언어 발달과 지도	이영자	양서원	2004
아이의 자존감	정지은	지식채널	2011
아동발달	조복희	교육과학사	2009
아동과 환경	황혜정	학지사	2005
만 6세 아동의 배려실천교육에서 나타나는 또래변화 연구	양희순	숙명여자대학원	2012
책 읽고 재잘재잘 독서토론, 이책 한권이면 돼요	양희순	부크크	2023
선생님, 덧셈뺄셈 어떻게 해요	김순례	부크크	2023
1~6학년 국어지도서 12권	교육부	교과서편찬위원회	2023

* 일러두기: 이 책의 표지에 내지에는 (주)SPC삼립에서 제공한 Sandoll 삼립호빵체가 사용되어 있습니다. 이외 KoPub체, 소요단풍체 등이 사용되었습니다.